D1347678

LE PREMIER VENU

Pierre Ouellet

LE PREMIER VENU

Poétique du passant

ÉDITIONS DU NOROÎT

CHEMINS DE TRAVERSE

Le Noroît souffle où il veut, en partie grâce aux subventions de la Société de développement des entreprises culturelles du Québec et du Conseil des Arts du Canada.

Les Éditions du Noroît bénéficient également de l'appui du Programme de crédit d'impôt pour l'édition de livres du gouvernement du Québec (gestion SODEC).

Couverture : Geneviève Desautels
Infographie : Yolande Martel
Artiste : Michel Bricault, couverture : *Mémori*, 2002
               4e : *masque* (détail), 2002
Dépôt légal : 3e trimestre 2003
Bibliothèque nationale du Québec
Bibliothèque nationale du Canada
ISBN 2-89018-524-9

Catalogage avant publication de la Bibliothèque nationale du Canada

Ouellet, Pierre, 1950-

   Le premier venu

   (Collection Chemins de traverse)

   ISBN 2-89018-524-9

   1. Poésie. 2. Poétique. I. Titre. II. Collection.

PN1031.O93 2003   809.1   C2003-941159-1

DISTRIBUTION AU CANADA
EN LIBRAIRIE
Fides
165, rue Deslauriers
Saint-Laurent (Québec)
H4N 2S4
Téléphone : (514) 745-4290
Télécopieur : (514) 745-4299

Éditions du Noroît
6694, avenue Papineau
Montréal (Québec)
H2G 2X2
Téléphone : (514) 727-0005
Télécopieur : (514) 723-6660
lenoroit@lenoroit.com
www.lenoroit.com

DISTRIBUTION EN EUROPE
Librairie du Québec
30, rue Gay-Lussac
75005 Paris
Téléphone : 01 43 54 49 02
Télécopieur : 01 43 54 39 15
liquebec@noos.fr

Imprimé au Québec, Canada

Nécessité du poème. Nécessité de la pensée du poème. La parole finit par se retourner sur elle-même pour se demander ce qu'elle est. La parole finit par se retourner contre elle-même pour échapper à ce qu'elle serait. Le poème est prisonnier du poème : on doit revenir à lui pour le libérer de ce qu'il dit, donner le passage à son premier élan, grâce auquel il échappe à ce qu'il est, donne libre cours à ce qu'il ne dit pas. Je n'écris pas de poème sans le retourner dans tous les sens, après : contre son propre sens, s'il en a un ou dix. Je n'écris pas sans me retourner sur ce que j'écris, dont le visage s'efface et fuit, recule à l'infini, me laissant en plan comme une statue de sel, le regard plongé dans la nuit noire où tout, soudain, s'est évanoui, les désirs et les espoirs qu'une vague mémoire remplace : une trace infime qu'érode l'oubli. Je fouille cette nuit que le poème devient : c'est alors, sous ce jour étrange, qu'il se révèle dans toute sa vérité, montrant son vrai visage dans cet évanouissement où l'on saisit enfin, dans un émoi que déclenche seule la perte, qu'il ne consiste pas en lui-même, qu'il ne réside pas dans son propre être mais qu'il épouse au plus près le destin de toute chose ici-bas qui est de disparaître à jamais, de nous abandonner, de nous laisser à nous-même avec ce sentiment : le poème nous échappe parce qu'il s'évade de lui dès qu'on se retourne pour le capter, la vie nous quitte dès qu'on revient à elle pour la retenir, c'est l'essence de toute vie, c'est l'essence de toute poésie, d'aller à contresens de soi, à contre-courant de sa fragile apparition, dans un monde où tout nous pousse à nous retourner d'un coup sur son retrait, son échappée, son effacement. Le poème ne s'écrit pas seul mais avec le contrepoème qu'il devient dès lors qu'on se retourne vers lui pour voir ou imaginer ce qu'on ne verra plus jamais, sinon dans une mémoire chancelante où il ne cesse de fuir vers son essence secrète : la défaillance, le désistement, le retirement de soi, le renoncement à tout. Ce livre est un recueil d'évanouissements.

I

Outrepenser

La poésie pense quand la pensée finit. Elle est une pensée qui pense au-delà d'elle-même, poussée plus loin, toujours, poussée à bout, dans les régions reculées de sa propre fin. On dirait qu'elle n'a lieu qu'à cette fin, d'ailleurs, dans cette fin sans cesse recommencée et sans cesse transgressée : la « fin de la pensée », non pas comme horizon, lisière, orée, ou fil d'arrivée, après quoi l'on tombe dans le non-sens et l'*impensée*, mais comme continent mouvant où l'histoire et l'homme poursuivent leur dérive, suite au choc assourdissant des grandes plaques tectoniques du temps et de l'espace qui ne cessent de se heurter dans la mémoire et dans les rêves de notre espèce déchue.

Pas plus que l'horizon n'indique la fin du monde pour le voyageur qui s'élance sur les mers immenses à la recherche de nouvelles terres, l'étroite ligne où la pensée se perd dans l'indistinct, dans la distance de l'impensable, ne signifie le moindrement la fin abrupte de la conscience, qui se prolonge au-delà, sur les continents aveugles ou engloutis où de nouveaux mondes de pensée encore vierges, intacts, inexplorés, se profilent ou se devinent, mais ne se possèdent et ne se conquièrent jamais.

On les aperçoit de loin, d'en deçà, mais ne les atteint nulle part, ne les saisit et ne les comprend pas : ils restent là, là-bas, où la poésie seule arrive à les débusquer, parce qu'elle est affût, aguets, égards, non pas regard ou observation. Elle se contente de voir à peine. Jouit même de cette peine à voir qui témoigne comme elle peut de la peine à penser qui frappe l'espèce humaine.

La poésie : cette pensée de peine et de misère que la vision brouillée du monde, lui-même brouillé avec la plus large part de notre humanité, incarne dans chaque mot, chaque phrase, chaque vers, comme nos bras entravés incarnent le mal qu'on a à tout embrasser et nos pieds empesés l'immense effort qu'il faut pour parcourir le monde entier que le moindre espace recèle, et nos yeux mouillés d'images qui ne sécheront plus dans nos mémoires sans cesse rafraîchies l'inaptitude à contempler chaque chose dans la distance avant de la percer à jour pour lui faire rendre son sens, qu'elle ne rendra qu'avec la vie.

*

La poésie ? le pense-bête de ceux qui ont oublié ce que penser veut dire. Non pas produire de nouvelles idées, du sens ou des valeurs, des opinions, des connaissances, toutes choses que l'on possède déjà en abondance et ne cesse de consommer, mais se vider de l'insensé, exprimer du plus profond de soi l'insignifiance de sa présence au monde, dont l'absence de sens que le poème porte

jusqu'à la pensée est le témoignage le plus parlant, autant dire le plus criant, même si tout en lui reste silence.

Le poète pense tout haut. Dans la hauteur de sa voix d'homme, que l'impensé pousse à s'élever, à se hausser au-dessus même de toute pensée, qui la fera retomber, plus bas que tout, une fois comprise sa gravité, son poids de voix mortes, lestées de paroles blessantes, de cris mortels ou de sens qui tue, dont notre histoire est à jamais jonchée.

La poésie est une éthique de l'impensé. Elle a pour morale de tout exprimer, surtout ce qui ne se dit pas : l'ombre claire qui accompagne chacune de nos pensées les plus sombres, qu'on n'ose s'avouer, mais qu'un mot, une phrase, un vers laisse deviner sous le masque d'une voix trop faible, trop forte, légèrement voilée, brouillée par le cri. Deux yeux derrière un loup, un vague profil sous un drap blanc, une bouche qui bée dans un visage fermé.

Penser, dans le poème, ouvre grand la bouche et les yeux que cache le visage de nos pensées, qui font comme si elles n'étaient pas vues, ni entendues, et encore moins touchées, enfermées toutes dans notre corps, qui les tâte de l'intérieur, écoute et regarde du dedans ce qu'elles essaient de faire entendre et de montrer, dont la poésie seule possède le pouvoir secret de nous révéler la face et la voix les plus enfouies, nous retournant de fond en comble, nous dépiautant de haut en bas, chacun de nos organes, bronches, cœur, poumons, ouvert tel un œil désormais sans paupière, tendu telle une oreille coupée

qu'on porte au bout de son bras, au creux de sa main, pour la donner au premier venu, à la première arrivée.

*

Penser dans le poème : savoir poser la voix sur ce qu'elle nous cache au plus profond… et nous révèle dans son ton, dans sa hauteur et son élévation. Dans son élan, où la pensée s'emporte, hors d'elle, loin d'elle, dans les régions inexplorées où elle peut voir et entendre qu'elle n'est jamais finie, même quand on l'achève, à coups de dogmes et de principes, car il y a l'écho, l'écho encore, l'écho sonore tel un œuf rond qui ne cesse jamais d'éclore, dont le poème fait résonner en chaque syllabe et dans ses rimes cachées le sens second, le sens impropre, le sens figuré, bref, l'insensé même qui à toute chose confère sa raison d'être et à l'homme même celle d'exister.

C'est une posture de la pensée, de plain-pied avec la langue. La poésie montre en chaque mot comment il faut se tenir dans le langage, et tenir dans le monde, pour pouvoir jusqu'au bout *tenir parole* : tenir la note jusqu'à plus voix, jusqu'au silence où elle prend son sens, telle une fleur morte qu'on cueille à bout de bras, la main tendue. Il faut apprendre à rester debout dans sa parole, lorsque la voix monte en vous depuis les bronches jusqu'à la tête, que ça vous dresse d'un coup, puis à s'étendre de tout son long dans le silence qui vient, après, où son écho vous berce.

La poésie : l'apprentissage des postures physiques et morales que la parole impose à la pensée quand l'homme et le monde échappent aux idées pures et entrent brus-

quement dans la belle barbarie des mots, leur b-a ba, leurs borborygmes, leur bégaiement, leur poéterie ou leur boiterie.

On ne marche droit que dans cette gaucherie : un mot plus haut que l'autre, une pensée basse et une pensée noble, une rime riche et une pauvre, toutes embrassées et entrecroisées comme vont les gens dans leur histoire, cahin-caha, tous leurs souvenirs et tous leurs rêves dans le même chaos, un poème d'hommes, de femmes, qui ne rime à rien, qu'avec cet air sans mots qui leur brise le cœur… et qu'on entend dans cet immense bruit de fond qui emporte avec lui la poésie complète de notre espèce amuïe, l'histoire humaine en raccourci.

*

La pensée meurt de n'être pas pensée, pensée jusqu'au bout. Le poème la ressuscite à chaque instant de cette mort à petit feu, où elle souffre en silence de n'être pas aimée, de n'être pas *pensée pour elle-même*, mais pour quelque faux profit : un sens, une idée, une croyance ou, pire encore, une sorte de philosophie.

La poésie fait de la pensée l'être gratuit qu'elle voudrait être, quand notre histoire nous la fait payer et souvent cher, très cher, au prix de notre vie. On doit tout à la pensée, qui nous libère de nous, qui nous sauve de nous, et à laquelle on se sacrifie en s'y laissant aller, aller à penser… au-delà, toujours, de ce que nous sommes, pour voir ce que nous devenons dans ce que bientôt nous ne serons plus.

La poésie scelle ce pacte où la pensée se donne si nous nous donnons à elle sans espoir de retour, dans la gratuité du don le plus pur : le don de la vie, le don de la parole, le don de soi au monde où l'on est venu et continue de venir non pas pour le conquérir et en tirer profit mais pour s'y perdre infiniment comme dans les draps de son propre lit, où le rêve emporte ce qui reste de soi aux confins de ses pensées les plus libres, qui échappent à tout asservissement, aux causes les plus grandes, aux fins les plus nobles, aux moyens les plus puissants.

Le poème fait de la pensée un exercice du corps entier : tendre le bras, fermer les yeux, taper du pied, se racler la gorge ou éternuer… voilà ce que rappelle l'acte de penser quand c'est une voix qui l'accomplit : vivre ou bouger, remuer. Le sens vient de surcroît, dès lors que l'acte a eu lieu et que *penser* est arrivé. Tout entier advenu, comme un mot sur le bout de la langue, que le poème expulse, d'une mémoire qui nous revient de bien plus loin que notre histoire, et que celle même de la pensée, du lieu sans fond d'où l'événement de notre vie surgit d'entre les choses comme le visage de l'être aimé jaillit d'une foule qui le pousse et le repousse de tous côtés jusqu'à nos yeux écarquillés.

Le poème donne un visage à la pensée qui autrement resterait une tête, anonyme parmi les têtes indénombrables de notre pauvre humanité. Il donne un nom et un visage à ce qui n'a pas de corps pour les porter, qu'une pauvre tête décapitée, au-dessus d'une foule dont on n'entend que le pas lourd frapper le sol, jamais le cœur léger battant entre des côtes… que trop d'effort, non pour penser mais pour survivre, ce qui est presque la même chose, aura fêlées et puis cassées, rompues à vie, réduites en poudre, de la poussière pour le remblayage de l'éternité.

*

La poésie pense plus que la pensée laissée à elle-même. À sa solitude. Sans cet amour furieux que les mots lui portent et qu'on lui porte à travers eux : l'amour désespéré d'une langue aussi charnelle qu'une bouche, un ventre et des poumons pour l'extrême volatilité de l'âme humaine qu'il y a dans une pensée quand elle est pensée à vif, non pas seulement dictée.

La poésie dit haut et fort le coup de foudre interminable que le langage a pour le monde quand il se montre dans une pensée : une nudité sans nom qu'il vêt de mots transparents où l'on peut voir que l'amour fou couvre ce qu'il aime en le découvrant.

Elle est l'amour de la pensée à son commencement, avant qu'il ne se mue en habitude, en servitude, en dépendance. C'est pourquoi la poésie pense plus que la pensée, trop proche de sa fin, du but atteint, de la vérité une fois pour toute réalisée, où elle se perd et disparaît, quand le poème la prend à ses débuts, lui, au moment où elle n'est pas encore «pensée», mûre et mature, arrivée à elle-même, où elle se fige, s'arrête, repose, mais pousse en nous comme la voix fait depuis le ventre jusqu'à nos lèvres, pousse de toutes ses forces pour arriver à l'existence, sans jamais perdre le souvenir des zones obscures qu'elle aura franchies, depuis le cœur jusqu'à l'esprit par le bulbe rachidien et le cerveau reptilien où elle commence à se déplier et à fabriquer tous ses venins.

La poésie ? la pensée en bouton, toujours sur le point d'éclore, mais retardant le moment d'être, préférant naître éternellement, apparaître sans fin, sans se résoudre à une seule apparence dont elle change sans arrêt, perdant ses feuilles, ses fleurs, ses fruits, tombés tout de suite en désuétude, pour remonter en graines dès qu'apparue, préférant renaître à être née, comme fait la phrase dans le poème où elle meurt et ressuscite à chaque nouveau vers, éternel incipit qui n'aura jamais de suite.

*

La poésie a une pensée pour le monde, qu'elle aime ou hait en y pensant tout le temps, bien plus qu'elle ne le pense pour vrai dans une idée qu'elle aurait de lui ou qu'elle s'en ferait. Elle n'est pas *pensée du monde*, mais tout entière pensée *pour* le monde, dont elle prend soin, plutôt qu'elle ne lui donne un sens. Elle se fait du souci pour lui, bien plus qu'une idée claire ou embrouillée. C'est la passion dans la pensée qui anime la poésie : l'amour insensé qu'a la parole pour le monde dont elle parle comme si elle y était, partageant le même lit.

Elle est terriblement amoureuse de ce dont elle parle, même quand elle parle de rien, ou bien du monde comme il va, qui ne le lui rend jamais, cet amour-là, désespéré. Le monde ne répond pas, indifférent à tout, d'une indifférence telle, que l'amour des noms pour les choses et les personnes qu'ils appellent en vain se transforme vite en désarroi, qui fait grincer les langues, bruire les paroles comme des petites bêtes à l'agonie, des hululements, des coassements, des pépiements, des criaillements sans fin.

La poésie pense avec des mots qui s'ennuient du temps où ils étaient des choses, des pierres parmi les pierres, des arbres parmi les arbres. Chaque souvenir de ce temps-là, que le poème laisse affleurer dans nos voix d'hommes, contient en puissance l'avenir obscur de notre humanité, l'inconnu propre à tout futur, l'«inconnaissable» qui peut encore nous arriver.

Il fait aussi noir avant qu'après, une même nuit dense lie le passé à notre avenir, que le poème éclaire comme par-dessous, avec des mots qui sont des torches, de grands arbres en feu, ou bien d'imperceptibles étincelles, entre deux pierres que l'on frotte, feux de paille ou escarbilles que le moindre souffle éteint, quand les vents de l'histoire attendent depuis toujours qu'un ordre divin les pousse à disperser leurs cendres jusque très loin, là où l'on ne va qu'*en pensée*, grâce à la mémoire des mots, des phrases, des vers qui nous rappellent jusque notre propre disparition.

*

Un jour, à force de penser sans rien penser, la poésie ne pense plus : elle pince les cordes de la pensée sans rien en tirer. Qu'un son grinçant, qui ne lui dit rien… mais le redit sans fin : une scie, une bringue, une ritournelle. Les rimes de l'insensé, le rythme de l'*impensée*, un vil refrain, une rengaine. Alors commence quelque chose d'autre. La langue retournée toute contre elle-même, recroquevillée, blottie, à croupetons dans notre monde défait, enfante de si mauvaises pensées que la pensée elle-même s'en trouve retournée : un gant dont la doublure serait une main, en chair et en os, en peau avec des lignes, dedans, de vie et de mort, et des empreintes qu'elle laisse partout dans la main des autres, tatouée à vie.

La langue qui ne pense à rien donne naissance à l'envers même de nos pensées, à leurs revers les plus âpres et les plus rudes : une mémoire dépiautée, des rêves écorchés, toute une pensée pelée, dépouillée d'elle-même, qui donne à voir les os et les tendons d'une conscience à vif, ouverte large sur un monde qu'elle capte non plus seulement par le regard, le flair, l'ouïe, le tact et la saveur, mais par les milliers de pores mis à nu que les mots ouvrent dans le corps de la pensée qui accouche d'elle-même, exvaginée, sa propre intériorité exprimée là, dans les viscères et les abats, mise au monde dans le sang qu'elle verse et les humeurs les plus noires comme les plus claires, engendrée de son propre gré dans les douleurs et les jouissances sans nom, dont les cris et les rires de la langue qui la délivre témoignent avec force.

La poésie, la parole sens dessus dessous, la langue retournée, exposée là recto verso, c'est du pensable ressuscité dans le corps même, à demi mort, de la pensée figée en sens et en idées, dont l'intérieur mis en lumière, remis au jour le plus clair et le plus cru, remis au monde et jeté bas, montre à nu l'être vivant et survivant, la chair à vif comme une plaie, d'où vient qu'on pense et puis le dit, l'écrit, l'efface.

On pense et ne pense plus, laissant la langue et la parole penser à notre place. Bien plus pensives qu'on ne peut l'être, nous, les oublieux du monde, les amnésiques de l'histoire, les débiles légers de la conscience perdue. Et la pensée toute repassée par la parole, la voix, la poésie, se donne le jour et se le redonne à tout instant dans les organes où elle s'incarne, enfin, corps second dans notre corps primaire, qu'elle nous retourne comme une peau de lapin.

*

La poésie donne la respiration à la pensée. Elle inspire les mots où la pensée s'exprime comme l'air d'entre les poumons. Elle nous apprend à souffler, non pas seulement avec les bronches, la bouche, le nez, mais avec la mémoire aussi, le rêve et la conscience, l'esprit, qui sont des pompes à sens, des pompes à vie, des aspirateurs d'idées, des expirateurs d'images, où l'homme reprend son souffle dans le cours ininterrompu de sa propre histoire, qui le pousse toujours plus vite et toujours plus loin dans l'insensé.

On vit à perdre haleine, on écrit pour retrouver son souffle, son air, son oxygène, non pas en soi mais dans les mots, où toute notre âme s'est déposée, comme si la parole ramassait seule les souffles morts qu'on laisse derrière dans notre course à être ou exister et en faisait de brefs poèmes qui les raniment d'un coup, pour qu'on revienne s'y aboucher, de nouveau respirer, dans une mémoire qui nous parle, non dans le réel sans fin, qui nous coupe la parole et le souffle.

J'aime ce bouche à bouche, où je ne respire pas seulement dans le monde mais dans la langue aussi, qui me change l'air et le rafraîchit : on est dans une pensée soufflée, une pensée inspirée, par les mots mêmes qui vont la chercher dans le fond des bronches comme on cherche l'air dans la plongée... et qui l'expulsent avec la même violence qu'on recrache l'eau quand on passe près de se noyer, avec la même furie qu'on aspire l'air quand on revient d'une interminable apnée.

On dirait bien que l'on respire pour la première fois, dans son souffle retenu depuis toujours au bord de l'asphyxie, où toute sa pensée était tombée, dans un oubli sans fond, et que la brusque remontée à l'air libre des mots qui nous tirent vers le haut projette dans tous les sens, air comprimé tout à coup exprimé dans toutes les formes d'aérobies, asthmes compris, où la pensée nous revient comme le souvenir qu'*on est* dans une mémoire où on dirait qu'on n'existe plus, remplacé à vie par ses fantômes les plus fuyants : des mots, de l'air, du vent.

Quelque chose d'autre

On ne sait pas ce que c'est. Des mots ? des choses ? des voix ? des mondes ? Le poème est inconnu à sa propre adresse : il ne loge pas en lui mais ailleurs, toujours. Jamais là où il est. Il s'éloigne du poème lui-même, où l'on ne trouve que son imitation. Ou sa caricature. La poésie est hors d'elle. Et hors de nous. On pourrait dire : en dehors de tout. Elle est le pur dehors, qui est son dedans à elle, sa vie intérieure résidant toute dans cet ailleurs où elle se déroule. On dirait sans elle, loin de nous. Au-delà, en deçà.

La poésie est quelque chose d'autre. *Autre* que quoi ? *autre* que soi. Mais encore : *autre* que n'importe quoi d'autre. Elle n'est pourtant pas l'Autre absolu, avec un grand *A*. Elle a horreur de ce qui est grand, y compris de sa propre grandeur. Elle déteste l'Absolu, à moins qu'il ne soit réel comme celui que Novalis découvre parmi les cailloux, où il faut être géologue pour voir pousser une minuscule fleur bleue... que le mystique pourra cueillir comme si c'était la relique vivante de quelque dieu, une goutte de son sang, une larme sèche, un grain de poussière sur son dernier vêtement.

Dieu gît dans les détails : dans la moindre chose, dans le moins possible, dans le plus petit. Il ne gîte pas, il *gît* : parmi l'infime. Dans les recoins du monde où tout paraît sans vie, mort-né, invisible à l'œil nu. Comme le poème, il passe inaperçu : un peu de sens sur le non-sens, de la mort qui *est* dans de l'être qui *meurt*, de la survie qui pousse dans des déserts qui la fanent et la fauchent. La fleur est un détail remarquable, sans plus, parmi les cailloux : quelque chose d'*autre* dans la caillasse. *Autre* parmi l'autre, elle se distingue par sa petitesse, ou son humilité, que sa couleur ne fait que souligner : du détail gît là, comme du bleu ou bien du dieu, on ne sait plus trop, sur le fond gris de toutes ces pierres accumulées où tout et rien se mélangent dans la plus grande banalité.

Un rien parmi les riens, dont la présence se fait remarquer par une couleur qui en souligne la vanité : la gratuité, la fatuité, l'énorme futilité. Du bleu pour quoi ? du bleu pour rien, du bleu parmi les gravats. Voilà la poésie : quelque chose d'autre qui nous fait voir que tout est *autre* de bout en bout, dans ce champ de pierres où elle se perd comme Dieu au ciel, l'Homme au désert, chacune de nos paroles dans le silence qu'elle tache d'un peu de bleu – un peu de vie dans la pierraille, du gris moins gris dans la grisaille sans fin. Tout est infiniment *autre* comme Dieu parmi les hommes et la fleur bleue parmi les pierres : comme le poème dans le bruit et la fureur du monde où il résonne comme un détail.

*

Le poème gît dans les détails. Rien n'y est généralisable : nul extrait grossi à la loupe, nul élément gonflé en un ensemble, qui puisse passer pour lui ou lui donner une identité. Rien n'y est identique à soi, qui ne cesse de se différencier : tel mot n'est pas *ce* mot, tel sens n'est pas *ce* sens, mais un autre et un autre encore dans l'éternel transport qu'enclenche la métaphore, qui nous présente les choses autrement qu'elles sont et se présente elle-même d'une autre façon que les mots, dont elle fait des choses parmi les choses, pierres contre pierres dans un désert vidé de son sens mais rempli à ras bord d'échos et de mirages, de voix et de visions sans autre consistance que l'air et le vent où ils se perdent.

Le poème élève la voix contre la parole. Comme je m'élève contre moi-même lorsque j'écris, ne m'appelant plus par mon nom propre mais appelant l'autre à ma place pour qu'il prenne mon nom dans toutes les langues qu'il parle et tous les mondes où il vit, sous tant d'identités que la mienne s'y perd et se retrouve en dessous, dans les lointains, parmi des mots que je ne comprends pas, dont je n'entends que l'étrange musique venue de là-bas, derrière.

La langue énonce l'identité des choses, grâce à la généralité des mots et de leur sens. Le poème dénonce cette fausse identité, par le détail du vers et du pied, du son et de la rime, du sens figuré, du grain de la voix qui traîne dans la poussière d'une phrase, de la goutte d'insignifiance qui déborde le sens des mots et des silences de tous les jours, de la cendre qu'il fait voler partout, dans le vent qui souffle de sa bouche, et qu'il dépose ici et là : fine couche de poussière bleue sur un monde où l'homme ne se reconnaît plus, poussière parmi la poussière, poème de trop dans le poème de peu, algue bleue dans la noirceur de l'univers.

Dieu gît dans les détails, mais les détails sont partout : le poème n'est nulle part où on pourrait le cerner, le reconnaître, l'identifier, mais *nulle part* est ici même, sous nos yeux et sous nos pieds comme à l'autre bout du monde, contre lequel on bute dès lors que le vers nous le fait toucher dans la moindre rime… Vétilles, broutilles, qui toutes indiquent l'omniprésence des limites : celles qui me séparent de Dieu et de moi-même, comme elles séparent la mort de la vie, tout ce qui gît ici-bas comme s'il vivait au-delà, qu'il faut ramener à sa finitude et à sa solitude, à ce qui est séparé, différencié à l'infini, détail par détail, jusqu'au grain de sable ou de poussière à quoi l'on sera bientôt réduit.

*

Je compte les pieds dans le poème que j'écris comme je compte mes pas dans le sable où je vais, chaque grain de sable que je foule dans le désert où il me mène par la main, la voix, la bouche ouverte, les yeux fermés… attiré par le nombre indéfini de détails qu'on y trouve et qui me perdent sans arrêt. Le poème ? un décompte sans fin, où je compte pour rien.

Le poème est cette altérité qui me donne autrui tout entier : non pas personne par personne, qu'on ne peut dénombrer, mais l'indénombrable en chair et en os, l'innombrable en personne, qu'on peut tutoyer, qu'on peut côtoyer. Autrui gît dans les détails d'où je le tire par la force du poème pour lui donner une autre vie, le nommant, le dénommant, l'appelant et le rappelant, lui racontant sa propre histoire dans des mots où il s'avère inénarrable, irracontable à qui que ce soit, sinon à Dieu qui n'écoute plus, perdu qu'il est dans les détails de son propre néant, dont chaque poème apporte la preuve : une fleur cueillie entre deux pierres, plus sèche et dure que la mort qui frappe à chaque instant le moindre caillou, la mort qui pétrifie.

Les autres n'existent pas *pour* nous, ni pour personne, mais pour eux-mêmes : envers et contre tout. Pour être, seulement, sans rien. Solitude de l'autre, que l'on partage comme autre à part entière : solidaire de l'Esseulement dans lequel autrui se tient... et se maintient comme autre, infiniment séparé, au loin. Dans un état d'isolement complet, toujours à l'étranger : dans des déserts, sur des glaciers, au milieu d'îles et de forêts inhabitées, sinon par l'ombre ou le spectre envahissant d'une pure Altérité, qui ne sait plus trop pourquoi elle est. Pour rien. Rien qu'on puisse identifier ou reconnaître : une pure absence qui s'impose davantage que toute présence où personne ne sait ce qu'il est, quand on connaît d'instinct ce qui nous manque ou nous fait défaut, ce qui nous laisse à nous-même et à jamais.

Les autres ne se réduisent pas à leur présence : ils sont tous ceux qui ne sont plus, tout ceux qui n'ont pas été, à qui ils empruntent leur improbable identité. Des voix anciennes ou des silences à venir : un passé de mots morts, de souffles éteints, ou le futur des noms qu'on n'a pas encore donnés, des phrases qu'on n'a toujours pas prononcées, des choses non encore nées auxquelles le poème prête sa voix en se mettant tout entier non dans la peau mais dans la bouche des autres, qui restent muets sur leur propre sens, infiniment secrets face à leur véritable identité, qui se perd dans la nuit des temps. Ils sont ailleurs qu'ici où l'on se parle sans arrêt, loin de cette bruissante présence au monde d'où le poème s'échappe, luttant contre nous pour aller rejoindre au loin sa propre place parmi les autres. Lui l'autre parmi eux, qui passe inaperçu. Dans le désert sans fin : une pierre qui brille dont un regard trop appuyé, un mot plus haut que l'autre ou un silence forcé peut faire par pur miracle une indiscernable fleur bleue, aussitôt fanée.

Le poème se moque de la vie en gros, de la vie en général : il ne survit que dans les détails, les plus infimes et les plus crus, les plus intimes et les plus nus – une simple virgule, le poids d'une lettre, le grain d'une voix. Son unité n'est pas le mètre mais le millimètre, le milligramme, les petites quantités d'air solide qu'on ne mesure qu'avec ses poumons, ses bronches et ses narines : de la poussière très fine dans le vent violent.

Le poème n'a pas d'existence générale : il mène une vie particulière, toujours, une existence singulière où il se perd parmi tant d'autres. On ne l'y reconnaît jamais, sinon comme étrangeté, à quoi l'on se fait en se faisant soi-même étranger à tout, parlant une autre langue et habitant un autre lieu qu'il nous dicte et nous indique en nous contant sa propre histoire dans une sorte de braille ou de morse qu'on ne peut traduire que par ces mots : *né là-bas, mourant ici, ayant vécu ailleurs, y survivant nulle part, je suis ce que je suis comme n'importe quoi d'autre dont je pourrais à tout moment tenir la place auprès de vous*. Le poème ? l'émissaire des lointains, l'ambassadeur de rien, l'intercesseur auprès de ceux qui n'existent pas, auxquels il donne une existence dans notre bouche et sous nos yeux en leur donnant un nom et une histoire, auxquels on croit bien plus qu'à soi.

*

Le poème emporte. Mais où, vers qui, vers quoi ? Non pas vers quelque dieu, comme l'*enthousiasis* des Grecs, où apparaît le mot *theos* au beau milieu, mais vers autre chose et autre part : non plus une vague fleur bleue, désormais enfouie sous terre, ni le bleu du ciel sans borne, qui n'arrête pas de nous fuir vers les confins, mais le désert qu'il fait autour de nous où l'on accueille tous les passants de sa vie, les passeuses de mort, les passagères du vent, les contrebandières de l'air, les trafiquants de tempêtes, les transhumants de l'histoire, les manants et les chalands auxquels chaque mot souhaite la bienvenue en leur donnant un nom dans une langue qu'ils ne comprennent plus. Le poème est une langue étrangère aux étrangers eux-mêmes, qui ne l'entendent à demi qu'en partant ailleurs, toujours, ou en passant seulement, d'oasis en oasis, jusqu'à plus soif, jusqu'à plus de sens, jusqu'à plus rien.

Je ne trouve refuge qu'à l'étranger. C'est dans l'exil que je demande l'asile dès que je lis, dès que j'écris : c'est au poème que je demande la vie, la vie et la mort à perpétuité. Certains se lisent eux-mêmes dans ce que les autres écrivent : je lis les autres dans ce que moi-même j'écris. Le poème se dit parce que des milliers de voix se taisent en lui, où je n'entends même plus la mienne, que tant de bruit amuït, que tant d'échos étouffent pour que surgisse d'un tel bâillonnement ou d'un tel étranglement à vif la voix sans voix d'autrui que des malheurs sans nom auront réduit au plus pur mutisme, au silence définitif que le vers, la rime, le mètre nous font entendre dans les chambres à résonance du Temps qu'ils creusent dans la mémoire comme des labyrinthes de vertiges dans le fond sans fond de l'oreille interne où tout finit par tomber, comme dans la bouche des aphasiques les mots trop lourds ou les silences trop graves pour les folies douces et les démences légères que le poème aggrave et ne guérit plus.

L'autre n'est pas là d'emblée, déjà donné avec le monde où il se tiendrait devant soi, en un face-à-face originaire, un vis-à-vis premier. Il faut venir à lui, il faut l'amener à soi. Le poème, plus que le monde, est le lieu d'une telle venue, l'espace d'un tel mouvement : on va l'un vers l'autre dans une langue qui nous appelle l'un à l'autre, par la parole qui s'adresse à cette altérité en chacun où l'on reconnaît le Sens véritable de ses propres mots, qui est d'aller vers l'autre pour se donner à lui dans le non-sens le plus risqué plutôt que de revenir à soi en lui prenant un sens qui ne lui appartient pas.

Le poème va sans cesse vers l'absence de sens où l'autre se terre et se tait, le débusquant dans l'Insensé où il n'arrive jamais à en faire sa proie, le laissant au contraire proliférer dans les bosquets et les futaies, les forêts vierges et les grandes steppes où il croît en secret entre deux pierres dont le frottement incessant sous la pression des mots et des silences donne naissance à une invisible fleur bleue, symbole vivant de la plus pure Insignifiance où l'altérité se réfugie pour ne pas se faire prendre, en proie à un Sens ou à une Idée qui pourrait la cueillir ou l'arracher, qui pourrait la tuer.

*

Toute poétique s'énonce à la troisième personne : celle dont on parle, dont on écrit. Une érotique du langage, un art d'aimer la langue et ce qu'elle profère, voilà des mots plus justes qu'*ars poetica* pour dire ce qu'est écrire : parler d'amour de ceux qu'on lit à ceux qui nous liront à travers eux. On ne parle pas de soi quand on écrit, mais d'un autre à un autre, double vie que le poème nous donne en nous dictant son art de vivre : une érotomanie de la langue qui fait d'écrire la vaine poursuite d'une jouissance de l'être entier… qui inclurait sa perte et celle de son identité.

Une érotique seule peut dire ce désir fou d'une totale refonte de soi dans l'autre, dont l'écriture est moins l'objet que l'intarissable source où va puiser l'assoiffé d'être, comme au temps mort de la mémoire le temps vivant des émotions. C'est sur la tombe ornée de grecques et d'arabesques où gisent les poètes qui font l'histoire et plus, l'éternité elle-même, que le lecteur devenu auteur se penche pour y graver son épitaphe, avec le même indéfectible soin que sur un livre encore à venir dont le désir soudain lui vient, qui tire tout son être par la mémoire vers ce qui ne meurt jamais, mais disparaît seulement, sous les pierres tombales du temps qui passe, que tout invite à faire rouler.

Ceux dont on parle dans les livres, on dirait qu'on les déterre, les désoublie : ils viennent non d'un passé mais du tombeau que la parole élève à ses ancêtres. Des mémoriaux, ces statues de mots. Ils jalonnent une vie comme les monuments la route des combattants, des résistants qui ont mené leur guerre contre le temps, et qui reposent dorénavant sous la stèle des mots vivants où on les place les uns auprès des autres, pour les réchauffer, les ranimer, les réveiller un peu au contact de notre souffle, leur donner de notre vie.

Chaque livre et chaque poème m'apparaît comme le compte rendu d'expéditions ethnographiques ou de fouilles archéologiques dont l'insatiable lecteur que je suis attend impatiemment les plus aberrantes révélations, qui changent l'histoire et l'origine de la parole comme celles de la terre et de notre espèce changent chaque année à la découverte d'un nouvel os ou d'une pierre taillée. Je ne suis pas déçu : il y a dans la langue de chaque livre beaucoup de cailloux anciens, tout en biseaux et en silex, et, dans l'imagination qu'il contient, les crânes et les bassins d'australopithèques qu'on croyait perdus, grâce auxquels je reconstitue la genèse de tout un siècle et des millénaires de poèmes et de romans, dont je vois enfin qu'ils n'ont rien oublié de ces gestes de grands singes par lesquels l'hominidé inventa l'art, le feu, la poésie, puis la chronique des temps qui passent ou sont passés, qui nous rappelle à nous, modernes sans mémoire et sans imagination, qu'il faut parfois brûler Alexandrie pour se refaire une bibliothèque qui doive au rêve bien plus qu'à la réalité.

*

L'archéologue excave la terre à la recherche du plus lointain passé, où il découvre ce qui a été et ne sera plus jamais. Le poème est un terrain de fouille dans la pensée, où il met au jour ce qui n'existe pas encore et n'existera peut-être nulle part, grâce à la force brute de l'imagination la plus pure, qui prend le relais de la mémoire quand il s'agit de chercher l'autre non plus derrière mais devant soi : à l'horizon. Comme une nouvelle terre, un autre continent, qui n'existe plus que dans le vent et l'air, les courants froids et les courants chauds que les mots brassent dans tous les sens, les retournant et les renversant pour qu'apparaisse dans leurs replis et leurs revers ce qui n'est pas encore, plis de l'air et versos du vent où ce qui est *autre* se cache avant que le moindre souffle venu de la bouche du poème ne les déploie et ne les déverse dans ce bas monde, heureux orage où l'autre pleut, où l'autre fait rage, notre âme baignant dans cette altérité qui la nettoie d'elle-même, qui lui redonne sa toute première virginité, ouverte à ce qui pourrait encore lui arriver : tomber sur l'autre, tomber sous lui, mouiller à vie dans ces eaux-là, dans le déluge où l'on naît à chaque instant d'une vague ou de l'écume plutôt qu'on y meurt une fois pour toutes noyé.

Écrire se conjugue à l'impératif présent : écris ! Comme on dit va ! va-t-en ! Tire-toi, pousse-toi : fais de l'air, du vent. Pars, repars : ne vis jamais qu'à l'étranger, même chez toi, où tu restes figé dans la peur des avions, dans le mal de mer, dans la crainte du ciel et des grandes eaux, mais dans l'attrait, toujours, pour tout ce que tu n'es pas, ce qui n'est pas, ce que tu dois imaginer dans le but secret de te déprendre de toi, te laissant prendre à l'autre et t'éprendre de lui, qui est ton ciel et ta mer à chaque jour traversés dans ces voyages en soi qui te ramènent ici, où tu ne te reconnais plus, plus vrai que nature, plus vrai que toi.

Pourquoi

Pourquoi penser, écrire, agir? Pourquoi ne pas simplement être, devenir, paraître? Parce que nous ne sommes pas finis... en tant que choses. Simples étants. L'être humain n'est pas achevé, comme chose vivante, affaire mortelle. Comme truc en vie. Il est inachevable. Toujours à recommencer. Parce qu'on se rate, tout le temps. Rate l'homme, en soi, et rate sa vie, qu'il faut reprendre depuis le début. Depuis le néant d'où on les tire et les retire, recréant le monde à tout bout de champ, refaisant l'homme *ex nihilo*, revivant sa vie *in absentia*, dans la mémoire et dans l'oubli, le rêve, la nostalgie, l'indécrottable mélancolie.

L'Homme n'est pas une affaire classée. Son dossier traîne sur le bureau. Ouvert à la page où l'on dirait qu'une main étrange efface à chaque jour les preuves de son existence, le nom qu'il est censé porter, les alias, les pseudonymes, les surnoms, les sobriquets, les diminutifs, les hétéronymes, les noms de plume et de goudron, les noms d'emprunt à court ou à long terme, et la photo aussi, de face et de profil, qui l'identifie, l'authentifie, dans ce passeport pour la mort ou la vie lointaine qu'est la fiche signalétique en noir et blanc, en bien et mal, en vrai et faux de l'animal parlant, pensant et agissant qui s'appelle l'espèce humaine, l'être mortel dont la finitude n'a pas eu de causes et n'aura jamais de fins.

La finitude est sans finalité : un dénouement pour rien, auquel il faut donner un sens, un nom, une voix, ne serait-ce que pour signifier aux autres et à soi-même qu'il n'en a pas et n'en aura jamais. De l'insensé qui se répète, à quoi seul le poème met fin, renvoyant à la ligne à tout bout de vers, dans les rejets et les enjambements, comme si l'être était au bout de son souffle à chaque seconde où il le reprend… pour aussitôt le rendre à ce qu'on appelle *néant*… parce qu'on n'ose pas lui donner son nom, qu'on garde pour soi, pour son visage défait, qui est du néant encore mais bien moins grand, bien moins profond.

C'est un désêtre permanent. Tout nous arrête, nous fige en nous-mêmes, à demi vivants. Condamnés à nous survivre. Voué à finir, l'homme manque à chaque instant sa propre fin, que sa pensée et sa parole reprennent depuis les commencements. Cette reprise s'appelle *poésie* : elle recoud l'origine et la toute fin, l'ouverture à la clôture, l'*incipit* et la clausule, le préambule à l'épilogue en une seule et même histoire, une seule et même vie, remplie de sutures, de coutures, de cicatrices. Un seul et même fil, plein de nœuds. Une seule longue phrase, que les mots et les rimes nouent en d'infimes nœuds coulants, qui nous étouffent, égorgent, étranglent.

*

La vie ne finit pas d'elle-même dans l'homme qui la vit : il doit la finir de ses propres mains, la conclure en un récit, quelques vers, des larmes, des cris, des rêves et des mémoires sans fin. L'homme n'est pas achevé, pas assez fait pour être parfait : il doit parachever ce qui en lui reste esquissé et à jamais, ce qui se dessine dans la réalité que son peu de réalité à lui efface à mesure, gomme et rature. Il doit *se finir* en pensée, en parole, en poésie. S'achever en silence, se parfaire dans un grand cri. Il n'arrive à maturité que dans ce dernier mot qu'il aura sur tout, sur la vie elle-même par-dessus tout, dont le sens et l'écho prolongent son pouls par-delà toute fin, par-delà l'homme qu'il est et n'est déjà plus, sous-homme qui se survit dans le sous-entendu de cette ultime parole que le mort dont il emprunte peu à peu l'identité commence à peine à prononcer.

On est aux arrêts. Écroué dans sa propre vie. Séquestré dans sa petite réalité. Sans autre possibilité de s'évader de soi que par la pensée et par la voix, dans la parole et le geste réunis en une trace ou un écrit, écho gravé, fossile sonore, poème, théâtre, récit, qui sont des « fuites » dans cette geôle de l'être, la taule à vie qu'est exister, rien qu'exister. Des brèches par où s'écoule un peu encore de liberté, un filet d'air libre, une larme libérée : l'égout-tement lent des heures qui nous sont comptées, que notre souffle à demi coupé transforme en vers, en mètres, en rimes, en rythmes, en pieds. La poésie ? les bâtonnets qu'on grave jour et nuit sur la paroi des oubliettes à ciel ouvert où l'existence nous jette, non pas pour compter les secondes qu'il nous reste à vivre et les enchaîner en une clôture de petits traits qui redouble celle qui nous entoure et qu'on ne peut jamais sauter, mais pour ponctuer d'une pensée pauvre, minime, minable, d'une écriture appauvrie, d'une poésie de potache, d'un morse débile et répétitif comme un battement de cœur, un encéphalogramme de comateux, le vide d'une vie, la vacance du sens, la vacuité de l'être, la vanité d'y croire encore, quand tout est défiance et mécréance, insignifiance sans fond.

Il ne faut pas s'engager dans le monde mais dégager le monde de soi. Pour qu'il respire, libre de nous, dans l'air qu'il fait, expire, inspire. À quoi l'on mêle nos mots et nos silences qui le vicient et le polluent, en une sorte de smog qui nous retombe dessus, après. Une lourdeur sans nom, qui pèse sur tout et crée partout des dépressions : des creux, des trous, des gouffres où l'on glisse avec cette pluie, cette bruine, ce brou dont on ne peut plus se dégager, se désengorger, crachin parmi le crachin, averse sans fin, chute de rien, brume et embrun de cendres froides, de poussières d'air, avec deux braises, dedans, deux mouches à feu : l'effroi dans le fond de ses yeux.

*

La poésie n'engage qu'à ça : dégager le ciel pendant l'orage, pour qu'on voie loin, très loin. Elle redonne un peu de couleur et de profondeur à ce monde plat, écru : une dernière couche de rêves et de regrets sur ce réel trop brut, qui se met à craqueler. Une subtilité, une futilité, une fluidité sur cette énorme grossièreté : le réel, le vrai. Du volatile, du volubile, sur ce mutisme opaque : l'être, la vie. Lucidité du poème : un pot de lucioles pour lampe de chevet. On ne s'éclaire qu'aux mots, plus noirs que la nuit où ils brillent… du reflet sombre que jette dans le monde leur sens le plus profond : celui qu'ils ont perdu en nous, dans nos rêves déchus, dans notre mémoire sans vie.

Étrange métier qu'écrire. Les poètes : des mercenaires du verbe, à la merci d'eux-mêmes. Les engagés du grand portage des morts et des vivants, du sens que le monde n'a pas, du son qu'il n'émet plus, des derniers feux de la terre qui clignotent dans la nuit nue. Voilà le titre qu'on pourrait donner à ces *draveurs* de mots et de silences, roulant en équilibre sur les vers et les phrases pour les emmener plus loin, au-delà, dans un avenir douteux, et qui finissent eux-mêmes par être emportés puis renversés, les mots leur roulant dessus pour les noyer.

Je ne m'engage à rien, s'écrie le poète. Je ne promets que le poème, qui n'a pas d'avenir. Mais un passé lourd, obscur, dont l'ombre porte jusque très loin dans le futur. Qu'il brouille, trouble, même dans nos rêves les plus prémonitoires, nos mémoires longues, profondes comme des oublis, notre peu de présent, qui arrive trop tard. Le poète jure : il n'y a rien qui tienne que par le fil du poème que le monde coupe et le réel dénoue. Il n'enchaîne les mots que pour les libérer d'eux-mêmes : qu'ils roulent les uns sur les autres comme des chiens fous ! Dans le grand monde : les déserts, les ruisseaux. Les caniveaux. Assonances et dissonances qui ne riment à rien : à la vie, à la mort, à vous et moi dans la même peau d'âne où elles nous enroulent pour nous faire braire d'une seule et même voix. Unisson des peines et des joies. Chœur de braments. La vie allitérante : elle glisse sur les mots comme l'eau vive sur les pierres mortes ou bien dormantes, qu'elle ressuscite d'un coup. Tout recommence : les derniers mots seront les premiers, le dernier homme le premier-né. L'histoire est bègue, le poème bêle. Les mots se cherchent. À tâtons dans leur propre nuit. Ils ne trouvent que bredouillements, que bafouillements. Ils découvrent ça : la poésie. La vie bouclée. Bâclée.

II

passé, et on en garde la responsabilité devant les autres, pour pouvoir envisager puis dévisager l'avenir, la mémoire et le rêve étant à chacun l'arroi d'images et de mots qui l'arrime à la terre, lui donne son poids de chair, sa gravité de corps terrestre, mortel, comme sont les souvenirs et les désirs devenus remords, angoisses, rappels et attentes du pire : l'avenir qui manque, le passé en trop, le présent grevé d'absences, tout ce qui pèse et presse.

Le désarroi nous libère d'une telle charge et d'un tel poids : celui du Sens à donner à sa vie, d'un Ordre à imposer au monde, d'une Loi à trouver dans le chaos de son existence. Mais il nous jette en même temps au plus bas, comme si cette liberté nous pesait à son tour : nous tombons avec le sens qui s'absente, nous chutons dans le désordre où nous laisse le retrait de toute ordonnance, nous plongeons dans le tumulte qu'aucune loi désormais ne contraint ni ne réprime.

On est libre devant les vastes étendues que le non-sens dégage devant soi, face aux grandes plages d'avenir désert que l'absence de projets ouvre devant ses pas, vis-à-vis l'infini chaotique d'une vie qui fuit enfin l'ordre fini où l'enferme la loi censée la gouverner, le destin supposé la former. On est libre et on ne le supporte pas : on *tombe*, avec ce qu'on ne peut plus porter ni supporter, dans ces espaces de liberté, temps libre, champ libre, air libre où ce qui fait fond et donne forme à l'existence se retire pour que nous voyions et sentions au plus près, d'un œil neuf mais pris de vertige, d'un pas leste mais en déséquilibre, le vide sur quoi repose et en quoi tient une vraie vie d'homme ou de femme, libres de tout ce qui les attachait encore aux causes et aux buts qu'on ajoute à l'être pour le remplir de Sens, le lester de propriétés dont il ne demande qu'à se débarrasser, comme de son propre poids, excédentaire par rapport à l'extrême légèreté de l'air où il aime flotter et graviter, *en chute libre*, comme on dit – en chute, oui, mais libre, comme les poissons dans l'eau… comme eux « noyé » mais comme eux « coulant » entre les courants et les contre-courants, nageant et sur-nageant, vivant et survivant dans le désordre des flux et des reflux, porté par des vagues de fond secret et des raz-de-marée noirs qui l'emportent plus loin qu'il n'aura jamais été, parce qu'on dirait que c'est *là* d'où il vient, à quoi il revient comme à plus ancien que soi, à son état d'avant, non encore humain mais s'humanisant déjà en s'immunisant contre l'Homme, créant l'Histoire, chassant de lui le déshumain, où il replonge désormais pour mieux se retrouver, se découvrir comme il n'a jamais été, plus nu que la nudité elle-même, poisson sans écailles qui nous glisse des mains.

*

Il n'y a pas de cure au trouble dans lequel nous jette cette découverte ou cette dénudation : un pas sans route, un regard sans objet, une mémoire sans souvenir ou un rêve sans désir, une pensée sans aucun sens qui l'oriente dans une tête sinon dans le monde, aussi obscurs l'un que l'autre. Pas de cure, mais une curatelle sans fin, une mise en tutelle de tout son être, une prise en charge par le désêtre, qui prend soin de soi, désormais, qui a cure de soi dans la déroute elle-même, veillant au déraillement, soignant non tant le mal chronique d'être sans rien, comme mort, mais l'œuvre elle-même du désarroiement, l'œuvre vive du dévoiement le plus total, dans lequel on survit infiniment à la perte du sens comme à la perte de soi en se donnant à chaque instant naissance dans un monde et une histoire où tout se meurt à petit feu.

Un deuil de l'être, que le désêtre veille jour et nuit comme si c'était son frère, son frère jumeau enfin reconnu, son frère de peine et de misère : on s'allonge sur le lit de sa vie, incapable de se redresser, mais une ombre vigilante à son chevet nous prend la main de temps en temps pour nous aider à franchir dans nos pensées mal réveillées les zones d'ombres les plus denses, qu'elle connaît de fond en comble, comme si elle les avait engendrées.

L'analyse, étrange « dissolution » qui ne résout rien mais nous plonge tel un corps soluble dans les eaux troubles de notre vie, où nous nous fondons littéralement, pour reprendre forme à partir de ce tréfonds, de cet arrière-fond infiniment troué, consiste à « exhumer un déshumain avant de pouvoir l'inhumer dans une sépulture psychique », comme l'écrit Pierre Fédida. On se désenfouit de sa vie, cette terre meuble qu'on porte sur ses épaules et sur son dos de son vivant, avant l'humus qui nous pèsera éternellement, pour se réenfouir dans sa propre tête ou dans son âme, traversées de souffles et d'airs, de mots, d'images, de souvenirs vides et de désirs en creux, de sons et de couleurs sans nom, de sens insignifiants où l'essentiel désarroi qui nous habite se vit pleinement, s'extériorisant en une dernière demeure, s'exprimant en un dernier soupir, vaste et sans cloison, parce que sans orientation ni direction, sans aucun sens ni contresens, espace psychique sans fin ni commencement où l'on peut se perdre à l'infini, sans crainte qu'on nous retrouve, nous rattrape, nous ramène à nous.

Le désarroi lui-même ou ce qu'on appelle la dépression, qui nous enlève le poids de notre humanité, de cet être d'ordre et de sens qui nous presse et nous oppresse, de cet arroi de rêves et de regrets qui fait l'être humain et rien qu'humain, sont déjà et à jamais, bien avant et bien après toute analyse au sens propre, une dissolution ou une solution *autre* au problème de la vie ou au puzzle du monde, qui est d'accepter sa dispersion, sa fragmentation à l'infini, où aucune pièce ne se lie à aucune autre dans un arrangement global ou un enchaînement causal dont pourrait surgir une image unique, un Sens, un Ordre, une cohérence quelconque qui donne une vue d'ensemble sur ce qu'on est ou ce qu'on n'est pas... et ne sera jamais.

Le désarroi est une vue d'en bas, par le menu, par le détail insignifiant, qui nous révèle dans l'infime l'insensé même où l'on vit, le vide où l'on se débat. Ce n'est donc pas une vision globale, qui voit tout à vol d'oiseau, sans y toucher ni le sentir, depuis la distance et la hauteur d'une pure contemplation, béate d'étonnement, mais la vie mêlée à la vue si intimement qu'elle s'y confond et la confond, la trouble, la brouille, collée qu'elle est à un vécu dont elle ne peut se distancier par une idée, un concept ou une catégorie, rien n'y étant reconnaissable ou identifiable, comme dans le tas de pièces multicolores d'un puzzle qu'on jette sur la table où elles s'emmêlent aussitôt en un inextricable embrouillamini, débordant de partout, tombant de tous les côtés, jonchant le plancher.

*

Le désarroi défie toute analyse, car il est depuis toujours une *écriture*, même muette, amuïe, mutique, informe parce que dissoute, qui soupèse la gravité et surprend la démesure de notre présence au monde et de notre absence à nous-même, où c'est une béance absolue qui se révèle d'un coup, une ouverture sans fin comme une blessure sans cause, une déchirure sans raison, une faille sans fond qui se découvre tel un nouveau territoire de liberté, qu'on ne peut conquérir ni investir qu'en s'y perdant et perdant tout, y compris le sens de cette soudaine libération qui nous arrive comme un accident, alors que c'est l'essence de l'homme d'être désarroyé, « désarreié » de lui-même, comme dit l'ancien français, « désarrangé » bien plus que « dérangé », soumis au désordre universel dont il participe bien plus qu'à l'Ordre artificiel qu'il tente de s'imposer.

L'humanité tombe d'elle-même à tout moment parce que l'homme désarçonne tout ce qui tente de le monter, y compris l'Homme, qui chute de soi à tout bout de champ, déchoit de lui-même à chaque époque de son histoire pour avoir voulu se surmonter, se dompter, se dresser... se dresser comme un seul homme au-dessus de sa propre animalité, sur le dos nu de sa propre sauvagerie, qui est en même temps sa grande fragilité. Il n'est pas question de l'en relever, par quelque cure miraculeuse, mais d'écrire, de peindre, de rythmer ou de danser le mouvement de cette chute dans ses moindres détails, même les plus insignifiants, pour que cette déflation de l'être soit vécue au plus profond, dans un éblouissement et un emportement qui la transmuent en une extase ou un élan, une authentique *enthousiasis* : une sortie de soi, par une « inspiration » désormais renversée, comme si on était aspiré par le monde, inspiré par cette immensité vide comme une outre ou un poumon, un gouffre gonflé de vents, de vanités et de buées, lieu sans fond d'un éternel transport, d'une interminable métaphore que le poème peut seul filer jusqu'au bout, au plus près de l'allant propre au désarroi, du tout-venant de sa déchéance, de son échéance aussi et de sa « chéance », qui est « cadence » – du latin *cadere* (« tomber », « chuter »), étymon lointain du verbe *choir* –, *coda* sans fin du chant et de la danse qui accompagne de son arroi d'images et de mots la mouvance désarroyante de toute vie.

Écrire le désarroi : porter la charge de l'insupportable liberté qu'il donne comme s'il s'agissait du corps tombé de haut de notre propre humanité, exhumer le déshumain pour lui donner une sépulture dans la Parole, dans cette vie seconde où il survive au silence dans le fond duquel il s'est terré, noyé, immergé ou enterré, en un deuxième souffle, une autre inspiration, une respiration de l'âme par-dessus celle des bronches et des poumons, qui ravive les cendres où nous nous consumons, humains s'inhumanisant à vue d'œil devant l'insupportable image de l'Homme que leur histoire projette, ombre portée qui pèse et presse au point qu'il devient plus facile de quitter le genre humain que de le réformer pour pouvoir rien qu'une seconde s'en délester.

Le grand arroi des morts et des mortels qu'on traîne par-devers soi, cette sarabande d'aveugles dont nous formons la tête énucléée, la plus frappée de cécité, qui touche à ses pensées les plus lucides, comme Bruegel en a peint la parabole avant celle de la chute d'Icare, nous pousse au désarroi le plus total : on tombe dans le précipice qui s'ouvre sur son passé et se referme sur son avenir, attiré au fond de soi où *tant d'autres* gisent et reposent mais sans paix, dans une agitation extrême de l'âme qui donne le vertige. Écrire le désarroi, c'est entendre le bruit de cette chute dans chaque mot et chaque phrase qu'on couche sur le papier, c'est en sentir le mouvement dans la moindre inflexion de sa propre voix, en observer la courbe parabolique jusque dans la précipitation même de ses pensées les plus insensées. Écrire le désarroi, c'est… *écrire*.

Voir la nuit

C'est au poète, toujours, qu'on demande de parler de la nuit. Au poète réputé obscur, surtout. Au poète « hermétique », qui tient son nom d'Hermès, le messager, guide des voyageurs, conducteur des âmes des morts. Mais dieu du vol et du mensonge, aussi, reconnu pour son adresse et pour sa ruse, par quoi il nous perd et nous égare bien plus qu'il ne nous guide. Il a des ailes aux pieds, jamais dans le dos comme chez les anges et les archanges, ces autres messagers qui volent de jour, en pleine lumière, comme dans les fresques de Giotto, alors qu'il roule la nuit, lui, sur ses talons ailés, qui mordent la poussière, toute cette boue sèche que son pas lève, où on le perd de vue, ne sachant plus quel sens prend sa course. Il est porteur d'un secret, bien plus que d'un message, c'est pourquoi il ne voyage qu'à la nuit tombée, frappant le sol d'un pied léger d'où monte un fin nuage qui achève de nous le masquer. On comprend alors qu'il soit devenu le dieu de la poésie, son dieu de nuit, l'obscur héros de cette noirceur sans fond : il ne vaut pas pour le message qu'il livre, qu'on ne connaîtra jamais, qui restera secret, mais pour ce martèlement léger du sol que sa course entraîne, pour cette poussière de nuit que son pas lève, qui nous brouille la vue sur le sens de son périple, l'horizon sombre où il s'enfonce, s'engouffre, bien plus qu'il ne s'envole.

On met le poète face à la nuit non pas pour qu'il en parle mais qu'il la montre, nous la fasse sentir jusqu'à l'appréhension, qui dépasse toute compréhension, tout entendement. Qu'il fasse le noir dans sa parole, afin qu'on puisse *voir la nuit* enfin, après qu'on a vu le jour il y a des années. Tout comme Hermès, dont on entend le pas sourd dans la nuit noire sans rien entendre du sens de la dépêche qu'il porte, il doit livrer le message de la nuit, le lourd secret de son obscurité, non pas en nous dictant les mots et les phrases où il reste de toute façon scellé, mais en nous faisant vivre l'expérience nocturne de la nuit elle-même dans le martèlement et dans la poussière que son pas leste fait résonner ou essaimer dans notre langue, qu'il frappe à vif et en cadence de son talon ailé, dans cette course vers le bout de la nuit où il s'écroulera de fatigue avant de pouvoir révéler ce qu'il emporte dans son élan, puis dans sa chute, son écroulement.

Chacun tente à son tour avec ses talons aux ailes coupées, ses pieds entravés et ses semelles de plomb, de faire entendre la nuit, même en plein jour, de lui donner un peu de voix, qui supplée à son pas boiteux, trop lent, trop gauche. Avoir vu le jour ne suffit pas, il faut aussi, pour exister, pour résister et subsister, avoir en vrai ou en pensée *vu la nuit* et un peu plus, s'être vu soi-même en train de disparaître derrière le nuage de poussière que sa vie lève, quand vivre est une course dans le noir le plus complet pour délivrer au loin quelque message qui finit toujours par nous tomber des mains.

On dit *voir le jour* pour naître, venir au monde, recevoir la vie. Mais qu'est-ce que *voir la nuit* ? À quel
monde vient-on et de quel don est-on gratifié quand on
voit cela : la nuit, l'obscurité, le rien à voir à perte de vue.
Que reçoit-on ? Que donne la nuit ? À quoi arrive-t-on par
cette étrange vision, qui ressemble tant à un aveuglement ?

Dans la vie de tous les jours, celle qu'on reçoit à la
naissance, on écrit noir sur blanc, le regard sombre face
à la lumière diurne, la lueur du petit matin, l'éclat de
midi pile, les scintillements du crépuscule. Dans cette
autre vie que la nuit nous donne en la dilapidant, dans
cet autre monde où elle nous met et nous jette le plus
souvent, dans cet étrange présent qu'elle nous offre en
nous le retirant, on dirait qu'on écrit blanc sur noir, plutôt,
en négatif, comme est écrit le brouillon de sa vie, avant
qu'on ne la transforme en positif, tout en couleurs sur du
papier glacé.

On écrit dans un tel renversement parce qu'on vit blanc
sur noir la plupart du temps, autant dire jour sur nuit.
Notre existence est consubstantielle à la nuit d'où elle
vient, d'où elle arrive enfin. Si l'on vient au monde dans
le jour que l'on voit, dans la vie que l'on reçoit, c'est que
l'on vient *d'ailleurs*, d'une nuit sans commencement ni
fin où l'existence prend sa source et son sens, bien avant
que nous existions, bien avant notre naissance.

Vivre, après naître, c'est retrouver en de brefs éclairs la
nuit première d'où vient qu'on a vu le jour à tel moment,
sur l'arrière-fond le plus noir, le plus originaire, d'avant

la séparation des soirs et des matins, des eaux d'en bas et des eaux d'en haut, des terres et des airs qu'un même aveuglement retenait ensemble sous le regard des dieux, qui seront morts de cette violente séparation qu'un brusque strabisme de leur vision aura provoquée, déchirant en deux réalités déviantes l'immense nuit noire où elles tenteront ensuite de se réconcilier.

Les *Hymnes* de Novalis nous le rappellent : la nuit est *nuit de noces*. La nuit unit. J'entends *noce* et *nuit* comme un seul et même mot : *noptiæ*, *noctis*, fondus l'un dans l'autre. En une même Noce, en une seule Nuit. Belle assonance qui dit combien le noir rassemble ce qui en son sein se ressemble en tout point, dans l'invisible et l'indivisible, dans l'indistinct : la nuit noue, la nuit lie, ce que la lumière détache, ensuite, sépare dès l'aube. Les lueurs du matin distinguent une à une les choses visibles, nous jettent en bas du lit commun où nous rêvons les uns des autres, nous lancent de chaque côté de cette vaste couche où le sommeil nous retient corps contre corps, pour que nous revenions au jour d'un coup, prenant conscience de notre vraie réalité : l'isolement, l'esseulement, la dispersion. Un mot existe, étrange, la *scissiparité*, qui le dit clairement : nous naissons par scission. À chaque jour. *De* chaque nuit. Nous vivons séparés. Séparés du monde, du fond du monde, sur lequel on se détache. Dont on se détache, aussi, au fur et à mesure que la lumière nous isole, figures errantes sur le fond blanc où même le souvenir de nos noces de nuit paraît s'évanouir.

Les premières lueurs écartent les choses et les personnes les unes des autres, éloignent de leur lit de noces les amants ou « ceux qui se sont voués à la Nuit », dit

Novalis, voués l'un à l'autre dans la grande nuit dense qui lie et noue comme si rien n'avait été séparé, n'avait reçu d'identité, un nom ou un visage qui distingue chaque chose dans le monde ou dans le langage, que le noir replonge dans leur néant et dans leur silence où ce sont des corps sourds et muets, des corps aveugles, qui se rencontrent sans se reconnaître... comme pour la première fois.

*

On dit : la nuit tous les chats sont gris. Pour dire qu'on ne reconnaît personne dans le noir et que tout le monde, comme Mister Hyde, peut aller son chemin sans crainte d'être reconnu... reconnu coupable, par exemple. Coupable de *qui on est* au plus profond, inapparent à la lumière, visible seulement où son obscurité se fond à celle des ruelles, des parcs, des squares, des terrains vagues où les frontières se perdent entre le rêve et l'insomnie, entre soi et ce qu'on n'est pas, entre le bien et le mal, entre toutes choses dont on perd de vue l'identité pour mieux sentir cette force étrange qui les pousse à se déchirer afin de s'interpénétrer, mêler leur sens, leur sang, mêler à vie leur improbable réalité, que la nuit défait aussitôt que le jour se couche, épuisé d'avoir à se tenir debout, dressé tel un seul homme, quand tout aspire à s'étendre de tout son long pour se rêver un millier d'êtres sinon aucun, fondu au monde comme une ombre aux ombres qui font cette nuit si noire que les dieux mêmes n'y voient plus rien.

La lumière découpe, découple. Elle taille dans l'os du monde toutes les figures où l'être prend forme et reçoit son sens. La nuit est chair, elle, où toutes les formes se perdent avec leur sens : elle est le lieu des égarements, le monde de l'Égaré. Étrange éthique de la nuit, où se perdre n'est pas tant s'engouffrer jusqu'à la disparition que se damner littéralement, causer sa ruine, pécher. Non tant se tromper de sens et prendre une mauvaise route que tromper le Sens… et suivre sa mauvaise pente, à la poursuite de l'Insensé. Où l'âme cherche à s'abîmer, pour ne plus avoir à se demander où elle est et qui elle est à chaque jour que Dieu fait, à chaque matin où il la tire à la lumière, braquée sur soi pour un interrogatoire qui n'aura jamais de fin, une garde à vue qui serait une garde à vie, où l'on n'existe que sous le regard du grand jour, quand tout nous incline aux égarements de cette grande nuit noire où rien ne sépare vivre et mourir, être et ne pas être, rêver, veiller, haïr, aimer, dormir sur ses deux oreilles ou se lever du mauvais pied.

La nuit gouverne, dit Char. La nuit remue, écrit Michaux. La nuit nous guide dans ses remous. Un gouvernail dans les reflux. La nuit nous garde sous sa gouverne, qui est de nous remuer : nous émouvoir et nous mouvoir. Elle tient notre âme sous cette emprise… qui la secoue, l'agite. On y est en proie à ce qui gît au fond de soi, qu'elle ressuscite et nous révèle, remet au jour mais au faux jour, celui qu'il fait quand on ferme les yeux sur ce qui se passe à l'extérieur pour les ouvrir vers le dedans : au cœur… au cœur des ténèbres, dirait Conrad, qui ne parle pas tant du fond des jungles que du noyau de nuit autour duquel la chair de notre histoire mûrit si vite qu'on n'a pas le temps d'en goûter le fruit, tombé au sol où il pourrit, se décompose. Voilà la nuit : le cœur décomposé des choses, des hommes, des bêtes, des dieux et des démons. Le pouls qui bat dans l'univers dont le noyau est fissionné : des éclats de voix dans le noir, autant d'étoiles qui s'éteignent ou nous éclairent pour la dernière fois.

La gouverne de nuit est la seule que je puisse admettre : la navigation en haute mer sous les seules étoiles et les seules planètes. Qui sont des guides plus sûrs que n'importe quels chefs, ces grandes têtes molles de notre siècle, dirait Ducasse, ces grandes têtes basses et comme honteuses sous les hauteurs de la voûte céleste, qui veille sur nous et nous abrite, immense parapluie d'air piqueté de trous noirs et de naines blanches qu'aucune machine à coudre ne peut côtoyer sur les tables à dissection que l'histoire humaine dresse devant nous – devant nos soifs, nos faims, tous nos désirs et nos besoins –, dont les couverts ne sont pas tant des bistouris et des scalpels que des AK47 et des Kalachnikovs, ces ustensiles de guerre avec lesquels nous pratiquons la vivisection, ultime opération à cœur ouvert sur des centaines de corps laissés sans anesthésie, non tant pour sauver des vies que pour sauver la face. La nuit cache nos exactions, qu'une étoile filante éclaire quelques instants : elle montre à nu des yeux vairons injectés de sang, avec lesquels l'homme voit dans le noir comme font les chats. Les ciels de nuit sont des miradors aveugles, d'où les étoiles projettent sur nous leurs longs faisceaux, que la distance givre et tamise... pour que la vérité qu'ils nous révèlent ne nous brûle les yeux.

Écrire sur la nuit. Non sur le thème de la nuit, mais sur son arrière-fond, ce tableau noir, cette grande ardoise qu'est la nuit noire, sans fond. Sans face et sans visage, le dos du monde... qu'elle tourne à l'homme dès qu'il détourne son regard de sa propre nuit, sa nuit intérieure où il n'ose jeter un œil de peur que le noir qu'il y trouverait le lui arrache ou le lui crève d'un coup.

On écrit pour enlever à Dieu le poids de sa parole, pour le décharger de cette énorme faute qu'il a commise en nommant l'homme dans une langue que celui-ci ne comprend pas et dont il faut, écrivant, écrivant sans relâche, tenter de faire entendre l'inaudible écho aux oreilles les plus bouchées, pleines de sens, de pensées vagues, d'idées, mais qu'aucun son ni aucun rythme n'arrive à décrasser, de sorte que le poème répète à coups de rimes et d'assonances les bruits les plus aigus et les plus forts qui risquent un jour ou une nuit, quand le silence empoisse les chambres et les lits où la noirceur nous borde, de venir à bout des pires surdités que l'homme d'aujourd'hui oppose à ses méfaits.

Le poème crie dans mon sommeil et je me lève pour le noter : couinements, grognements et glapissements qui me tirent des draps de fortune où à chaque nuit j'essaie de me cacher, de cette *omerta* tout intérieure où je me tais mes pires secrets, pourtant communs à notre vaste humanité, qui fait la sourde oreille aux vérités qui crient, braillent, braient, hurlent et clament notre innocence dans le non-sens bruyant que fait entendre la poésie. On appelle ça *tapage nocturne*, et c'est pour ça qu'on nous condamne ou nous poursuit. Non pour les crimes que cette « crierie » dénonce, que ce « criage » ébruite.

La nuit, on entend tout : ses battements de cœur, le flux de son sang, la vie nocturne de ses pensées. Une vraie bruiterie. Une *poéterie*, car c'est bien là que le poème reprend sa source à chaque matin : dans cette sonnerie, tout intérieure, dans cette alarme interne, ces acouphènes où l'âme se parle, dans une langue qu'on ne peut qu'entendre, jamais comprendre, parce qu'on y est compris ou enfermé, claustré dans ces drôles de bruits : du sens qui frit, une eau qui frise, ce sang qui fait un bruit d'enfer dans nos artères mais une musique paradisiaque dans nos cerveaux éteints, où un énorme caillot se forme, *big bang* des commencements dont l'interminable écho que le poème répète à l'état de veille annonce nos ultimes fins. On fait la nuit sur sa vie pour mieux entendre comment elle finit : dans un crescendo de silence, un grand bruit blanc… Cette trace que le poème laisse dans la conscience, ces restes diurnes que les rêves déposent au petit matin, quand on se réveille dans la confusion des langues et des pensées, dans cette Babel sonore d'une vie qu'on doit sans cesse recommencer, dont les *incipit* se superposent en une haute tour d'air d'où l'on se jette dès que la nuit revient, tombant avec elle au plus profond.

*

C'est dans sa tête qu'on cherche mais dans la langue qu'on trouve. Quand toute sa tête se met à parler : voca-liser, vociférer. C'est dans la nuit de sa tête que la nuit des langues jette une lumière qui nous réveille mais dans un rêve : une lueur vive mais brève, une étincelle de sens que produit le frottement de ces deux nuits, celle de l'esprit, celle de la voix, les grandes ténèbres de la pensée, les grandes noirceurs de la parole, immenses plaques tectoniques de vies nocturnes qui s'entrechoquent dans nos rêves où tout alors vire au cauchemar.

Toute vraie pensée est noctambule : elle erre des nuits entières de rue en rue, qui la conduisent à leurs dernières extrémités. C'est là qu'elle trouve sa vraie lumière : un lampadaire dans une impasse, un feu rouge dans un cul-de-sac. Toute vraie parole est nyctalope : elle erre aussi… mais à la recherche de sang. Elle fait le guet, comme les grands rapaces. Les oiseaux de proie, les oiseaux de nuit, qui sont bec et ongles contre tout ce qui vit. La lueur qui l'attire est dans une chair qu'elle mord et ouvre pour s'y abreuver. La parole vive est lycanthrope, loup-garou de rêve qui prend en chasse les plus innocentes de nos réalités, quand l'état de veille où l'on croit vivre nous plonge dans un sommeil second où tous nos crimes sont oubliés, comme effacés, avant que la morsure de quelques mots ne vienne les raviver, dans le sang frais qui les révèle en un souvenir encore plus frais, dans toutes ces plaies qu'elle ouvre pour qu'on revive à chaud et à fleur de peau les exactions de sa vie passée.

Quand la parole et la pensée se rencontrent dans leur double vie de funambule et de somnambule réunis, qui ne marchent plus que sur le fil fragile de la nuit la plus noire, on a droit à ce carnage : chaque mot poignarde chaque idée, pour qu'elle verse son sang avant son sens et en nourrisse sa propre vie. On a droit à ça : la poésie. La voix qui mord dans le sens… dont l'essence fuit, non sans avoir laissé couler sur la langue quelques gouttes d'encre rouge qu'elle nous transfuse de nuit, quand nos pensées dorment et que les cris et les chuchotements en profitent pour nous piquer leurs fines aiguilles dans les artères et nous injecter leur sérum le plus puissant, ce soluté de rêves et de souvenirs qui nous immunise à vie contre les fausses clartés de notre présence au monde.

La mémoire d'un homme est son asile de nuit. Il s'y abrite quelques instants comme dans un rêve, dans un passé qui le réchauffe et qui l'éclaire, où tout son être se réfugie. On se prend dans ses propres bras… qui nous tiennent lieu de draps, de lit, de toit : on est à la belle étoile de soi… mais le souvenir d'une maison chaude traîne dans ses paumes avec lesquelles on se frotte le dos et les épaules pour y éveiller quelque vieux rêve, où ce sont d'autres bras que les siens qui étreignent ce qu'il nous reste d'humanité, d'humanité pour rien, qu'on embrasse en vain, les mains pendantes au bout des bras qui nous tombent de tout leur poids.

On est déjà de la nuit, sur laquelle tombe la nuit du monde. Avec fracas. On se relève comme le petit jour : difficilement, une lueur à la fois, clarté par clarté. Jusqu'à ce qu'on voie, dans une évidence qui nous crève les yeux, que tout ici-bas est à recommencer, qu'une nouvelle genèse doit nous tirer de cette nuit sans fond où l'on s'est plongé depuis le premier jour, que le poème redise haut et fort mais dans la bouche d'un dernier homme : *que la lumière soit !…* Et la lumière est. Non plus cet œil énucléé qui nous écrase de sa clarté, qu'on appelle soleil pour dire combien c'est un œil seul ou esseulé, mais l'étincelle rien qu'intérieure qui nous réchauffe le cœur, où l'on puise la vraie lumière comme de centaines d'yeux qui brûlent au fond de soi, d'un feu que rien au monde ne pourrait éteindre, pas même ses propres cendres où brillent sans cesse de nouvelles braises.

*

C'est dans une chambre obscure qu'on développe ce qu'on appelle une « photographie » pour dire que la lumière *écrit*, la lumière *grave*, mais ne révèle ce qu'elle trace que dans le noir le plus total, le noir absolu. La lumière s'écrit dans le noir seulement, baigné d'une lueur rouge : du sang que la nuit verse sur les images à venir, trempées dans les acides, dans la mémoire de l'œil, pour qu'elles s'imprègnent de leur naissance et de leur mort, de désirs et de deuils qui sont leurs seules véritables formes et leurs seules couleurs.

C'est dans une chambre noire que nous rêvons la nuit nos rêves les plus lucides, chaque image baignant dans les acides les plus puissants que la vie sécrète, quand nous avons les yeux fermés pour mieux « ouvrir », derrière, les lumières crues qu'ils aperçoivent sans les regarder. Les chambres à coucher baignent toutes dans la noirceur pour qu'on s'y couche comme des images : on trempe dans ses draps blancs parmi les sels d'argent. On n'est plus que ça : une photo de soi, visible seulement dans la nuit close.

Je ne dors jamais sans une veilleuse, à moins qu'une fenêtre ne soit ouverte, une porte entrebâillée. Elles effacent à demi les images qui se forment dans ma tête, les surexposent ou en estompent les traits, faisant entrer de la lumière dans leur lumière, du blanc plus blanc dans leur blanc gris, pour que je voie la nuit elle-même dans tous ses éclats : la nuit plus vive que toute image, la nuit qui tranche sur le jour… que le temps ternit.

Dans la nuit, tout ressemble à la nuit. Le noir est contagieux. Il se répand comme la peste, l'encre de Chine, la rumeur de l'air, le bruit qu'on meurt au bout d'un temps. Une pandémie, le mal du soir, dont seraient atteints le ciel et la terre… intégralement. Le monde entier paraît contaminé, qui porte le deuil de sa propre fin. La noirceur gagne les choses une à une, qu'elle additionne en les soustrayant à la lumière. La nuit complète n'est que la somme de ces disparitions : l'unité reconstituée de cette grande Nuitée… devenue l'*infini* – la nuit des temps, des lieux, des grands espaces et des longues durées, en une seule et même totalité, vaste et lisse comme est le néant, sans brèche et sans couture entre le dehors et le dedans, sans solution de continuité entre le sens et le non-sens, sans rien qui nous sépare du monde et de la conscience, avec lesquels nous partageons la même obscurité. Unité de la Nuit. L'Un n'existe que nuitamment. L'Un n'*est* qu'à la nuit tombée. Huis clos entre Dieu et Dieu, où l'homme s'enferme à l'infini, entre des murs qui sont autant d'horizons bouchés, vastes cloisons d'air ouvertes sur l'air, où l'air lui-même paraît étouffer.

Paroles debout

Le poème est une colonne de sens et de son, non pas dressée dans l'air sur la page blanche, mais qui s'enfonce peu à peu dans les profondeurs du vide dont le fond grouillant remonte à la surface et nous éclabousse, montrant sur quel néant repose notre présence au monde. L'homme et le poème vivent debout pour mieux s'enfoncer en eux, dans ce qui s'enfouit au plus profond, sous leur propre être ou leur néant, dans l'immense trou que leur centre de gravité creuse dans leur âme et dans leur souffle, pour que la parole y prenne sa source, s'élevant dès lors en une tout autre humanité, en une tout autre profération, où l'on peut voir et entendre que l'être et la voix ne poussent leur premier cri et ne lancent leur dernier chant qu'en repoussant la terre où ils s'enlisent petit à petit, conscients qu'on ne monte qu'en descendant comme le poème s'écrit de haut en bas avant d'apparaître dressé tel un seul homme au milieu de la page.

Il y a une verticalité du poème, comme il y a une humanité de l'homme, qui fait de la singularité des voix inscrites en chaque œuvre un fragment abrupt de la voix humaine en son intégralité : chaque poème se prélève sur l'univers de la parole, qui fonde l'universalité de l'être parlant, dont les langues diffèrent, bien sûr, de même que les voix et les accents, mais dont la faculté de s'exprimer dans son souffle traversé de voyelles et de consonnes que le poème, la prière et le chant élèvent en une haute colonne ou creusent en un puits sans fond, est proprement « universelle », en ce sens qu'elle dépasse l'homme pour former un monde au-delà ou bien en deçà, un monde qu'elle lui donne comme on donne naissance, un monde *un*, mais *autre* que lui, où il se transporte d'un bout à l'autre dans sa parole.

Le poème concerne l'univers parce qu'il fait voir et entendre comment la parole nous transcende, comment la voix nous « passe au travers » en nous menant au-delà, autre part qu'en soi, autre part qu'au monde : dans l'univers qui *trans-scande* tout, soi et le monde, les scande de travers, les traverse de rythmes où ils s'emportent l'un dans l'autre, le soi le plus profond marié au monde le plus secret, la parole la plus intime au réel le plus lointain, l'altérité radicale de son propre souffle à celle plus radicale encore de l'air que l'on respire.

Transpassage qu'est toute poésie, dans son étroite relation avec la mort ou le *trespasser*, dans sa façon de dépasser la finitude non en la niant mais en la transgressant comme on fait d'un interdit : le poème transcende ce qui s'interpose entre la parole et le silence, entre le visible et l'invisible, ce qui interdit l'accès ou le passage du dit au non-dit, entre lesquels il élit domicile comme si on ne pouvait séjourner en ce monde que dans le voyage incessant d'un côté à l'autre de notre peu de réalité.

*

La trans-scansion propre au poème, qui est *éclair* et *veille*, nous fait passer à chaque instant la ligne de démarcation entre le temps et l'éternité : elle amène la mort dans la vie sous la forme d'une veille du tout autre sur soi et elle emmène la vie dans la mort où elle devient son autre face sous la forme énigmatique de l'éternel. Non parce que le corps et l'esprit se transmutent l'un dans l'autre à l'occasion de la naissance ou de l'agonie, mais parce que le sujet lui-même, à chaque instant de sa vie, où il se transcende jusque dans sa chair qui n'existe qu'au loin, dehors, vivant *de* et *dans* un monde « autre », infiniment autre que tout ce qu'on peut être, y compris sa propre disparition, se situe sur la frontière que représente le tiers inclus entre l'ici et là-bas, le soi et l'autre, la vie et la mort, le temps et l'éternité.

Le poème couche la voix humaine dans un lit vertical où sa double position d'être vivant et d'être mortel se trouve transcendée, l'une et l'autre coulant de source vers leur dépassement commun, dans le transpassage des eaux les plus vives qui sortent de leur lit à tout moment parce qu'elles ne connaissent nulle part de rives qui les contiennent ni d'interdit qui les retienne entre un oui et un non, du côté de l'être ou du néant.

Le poème est pure « façon », mais façon *autre*, d'émouvoir ou de troubler, où l'on comprend que nos manières d'être et de ne pas être sont des « facettes » d'une seule et même réalité, que la parole verticale tournant sur elle-même comme une toupie ou un moulin à prière, faisant face à toutes les directions de l'espace et à tous les aspects du temps, fait voir tour à tour dans son mouvement vertigineux, si vif qu'il en efface les oppositions, faisant couler telle chose et son contraire d'une seule et même source ou découler l'être et le néant d'un seul et même élan, qui nous emporte dans son souffle. Poème incantatoire, qui *incante* l'être, enchante le rien lui-même, réenchante le vide où nous tombons dans l'étourdissement de notre vie.

L'enfoncement poétique, l'engouffrement de l'homme dans son néant et du sens dans le non-sens, ne signifie nullement le désastre appréhendé de la fin des temps ou l'angoissante disparition de notre humanité, mais la chance inespérée d'un ressourcement dans une joie plus profonde que le malheur, une joie qu'exprime l'élan propre à l'énergie du désespoir grâce auquel l'homme peut retrouver dans ce qu'il a perdu, incluant son sens et son identité, ce qui mérite seul d'être retrouvé ou redécouvert. Ces retrouvailles, qui n'ont rien à voir avec le « dévoilement » d'une vérité, sont l'enjeu même de tout poème, *fiat lux* ultime, genèse d'après la fin, implosion de toute lumière au sein de sa propre obscurité.

Toute poésie vit dans la complicité secrète qui se tisse entre les voix les plus diverses quand elles se mettent à l'écoute d'une seule et même *rumeur* : le grand bruit de fond non dévoilé que le poème cherche à capter dès lors qu'il dépasse sa propre pensée, capable désormais de donner de la voix à ce qui passe l'entendement, à ce qui transcende la conscience, à ce qui nous entraîne au-delà, dans la verticalité vertigineuse du monde et de la parole où l'on n'est sûr de rien, sinon de tomber sur plus vrai que soi, plus humain que l'homme, plus réel que notre vaine réalité.

*

La poésie doit se tenir debout, dressée dans l'air comme sur la page : c'est debout qu'elle peut le mieux tomber. En chute libre dans son champ libre : dans la liberté reconquise de sa plus vive précipitation. C'est debout comme un seul homme qu'elle peut le mieux plonger dans des abîmes de sens qu'on ne soupçonne pas. Elle s'accroche au ciel, mais elle pend jusque par terre et même plus bas : dans les enfers les plus ordinaires. Quand on la lit, on est suspendu à son fil, mince et fragile. Au-dessus du vide, entouré de blanc. Car le poème ne remplit rien : ni la page ni l'air, pas même une vie.

C'est une fine marge au milieu de la feuille qui reste vierge presque au complet. On y prend des notes, non pas marginales mais capitales : au cœur de la page, au cœur du monde, qu'elles feront battre… plus vite. Arêtes verbales, épines dorsales, colonnes vertébrales légère-ment déviées, parfois étirées, parfois écrasées, toujours cambrées comme le dos crénelé de ces petites bêtes que j'aime tant : les hippocampes. Les poèmes nagent debout dans l'air et la tête haute, la queue roulée sur elle-même comme un point d'interrogation qu'on aurait inversé, et qui nous pousse dans les eaux troubles, toujours plus creux. Le poème hippocampe : une question à l'envers, restée sans réponse au milieu des vagues. Une algue animale toute en arêtes, épineuse, cactée, perdue au large comme une note griffonnée à la hâte en marge de sa propre vie : elle envahit la dernière page de son histoire qu'elle change en mer des Sargasses – une plage de pas perdus, une marée basse de désirs déchus, de passions échouées.

Hippocampi : les « chevaux plats ». Poissons d'eau de mer tout en crêtes et en arêtes qui flottent comme une crinière entre les eaux, galopent dans l'onde, trottent dans nos têtes et dans nos rêves, auprès des licornes et des centaures. L'hippocampe désigne aussi la cinquième circonvolution temporale du cerveau, qui joue un rôle de premier plan dans la mémorisation, comme les poèmes, qui sont aide-mémoire. La poésie est mnémotechnie : elle rime et rythme, tout en cadence et en coda, pour qu'on se souvienne de ce qui revient, de ce qui retourne, comme fait la queue de l'hippocampe, enroulée sur elle-même en une spirale qui rappelle les circonvolutions temporales de la *memoria*, ce bel embrouillamini, l'imbroglio d'oublis, l'histoire, la vie.

Les poèmes sont des hippocampes verbaux. Ils voguent entre deux eaux : celles du rêve, celles du souvenir, enroulées l'une dans l'autre. Ils ont la forme nerveuse, élancée, piaffante de ces petits chevaux de mer qui sont attelés à son passé, qu'ils traînent jusqu'à soi malgré leur faiblesse, leur apparente fragilité. Il faut les pousser un peu : cravacher la langue pour qu'elle avance, cavale, attire son attelage de vers, l'attirail complet de la mémoire mise à jour, avec son chargement de peines et de joies, lourd à traîner dans la vraie vie, léger pourtant dans le poème le plus grave, cette vie en moins dont on pèse le sens non plus en mots mais en silences, en vent qui passe entre les lettres, qu'il soulève d'un coup comme de la poussière vite envolée.

*

L'écriture est une mue : on y laisse sa peau à chaque nouveau mot qu'on trace pour s'en refaire une neuve au suivant. Ce n'est pas une vie, la poésie, mais l'exuvie : la peau qu'on risque et perd, tout ce qu'on rejette, sa propre dépouille et un peu plus, abandonnés aux autres pour qu'ils s'en fassent une deuxième vie, une seconde peau. Et ça va vite, plus que le temps : une mutation à la seconde, une éternelle métempsycose, où l'on n'est jamais le même, de pied en pied, de pas en pas, franchissant un nouveau hiatus, une nouvelle césure, un nouveau rejet, un enjambement et un déjambement, perdant pied avec la vie, qui tombe aux mains des autres, cadeau de mots que le poème fait à chacun en nous l'arrachant de la bouche, comme s'il s'agissait de notre dernière peau, dont notre histoire ne cesse de nous dépiauter.

Les poèmes ? de maigres chicots qu'on voit au bord des routes dans les forêts du Moyen Nord, comme à Fermont ou à Chibougamau. Des épinettes tordues par le nordet, mordues par la tordeuse : de minces troncs de mots tout dégarnis, comme si la poésie ne poussait plus qu'à la fin de l'automne, quand les foins sont faits, roulés, rentrés, toutes les feuilles tombées, toutes les odeurs à sec. Le poème annonce l'hiver de la pensée : des poteaux de vers sous ce grand panneau de ciel morne entre les branches effeuillées où l'on peut lire que notre monde n'a pas d'issue. Le ciel lui-même est un cul-de-sac. Voyez : il commence à neiger, l'air est bouché, toutes les routes de la terre seront bientôt fermées. Le poème annonce l'hiver cosmique, l'hiver sidéral, l'hiver à l'année. On n'écrit plus que des bulletins météorologiques qui prédisent pour des siècles et des siècles un vent du nord qui fera baisser jusqu'au point de congélation la température intérieure des mots qu'il nous reste dans la mémoire ou l'imagination pour nous chauffer le cœur, déjà entré dans l'ère nouvelle des glaciations.

La parole souffre d'anémie. Dans un monde qui paraît lui-même, sous ses vêtements épais et son air bouffi, atrocement maigre : émacié, décharné. Le poème, la parole rabougrie qui n'a plus faim de rien sinon d'elle-même, qu'elle dévore de l'intérieur comme le remords ou le désir à vide, a pour ultime effet de mettre à nu cette maigreur : du Beckett sec, qui se nourrit d'un rien et le vomit. Sans faire exprès. Il voudrait bien tout garder, mais peine perdue : il ne retient rien, pas même sa propre bile. Pas plus que la mémoire, vouée à l'oubli. Il faut qu'il dilapide, dépense sans compter, jusqu'à ce qu'il ne lui reste rien. Ce rien qu'il offre comme si c'était tout, tout ce qu'il pouvait encore offrir : une poignée de sable pour y planter des fleurs, qui ne poussent qu'en plâtre ou en plastique.

On essaie de se justifier d'écrire comme ça : dans l'indigence la plus totale. On se dit qu'au fond, dans ce monde de fausse abondance, si riche en nullités, dans ce monde encombré de lui-même, il est peut-être bien que la poésie n'ait plus faim de rien sinon d'un sens qui la ronge du dedans et la réduise à peu. Le poème ? des bouts de vie, des boutures de vie. Ça ne tient pas debout, mais voyez comme ça pousse : de la mauvaise herbe, du trèfle, du foin, de l'herbe à poux.

*

Les poèmes racontent plus que les récits : ils savent, eux, que la vie déborde tout ce qu'on en dit. C'est ce débord qu'ils mettent en mots. Ça fait des taches dans la mémoire, qui se répandent dans tous les sens. C'est tout ce qui reste des choses en trop qu'on aura vécues, des choses qui manquent à sa vie d'homme, passée à en boucher les trous. Le poème avance, mais rien ne bouge. La vie recule, en lui, devant le moindre mot qui la menace de dire la vérité : qu'il n'y a plus de sens à lui donner, plus de raison d'être à invoquer.

Les mots sont là, déjà, avant que la lumière soit faite, toute faite. L'homme arrive avant que le monde soit éclairé. Le *fiat lux*, c'est sa parole qui le prononce : dans son corps qui saute et crie de joie, dans son corps qui court dans tous les sens, puis tombe au bout du monde où il se met à pleurer.

Nous venons nus au monde : nus dehors, nus dedans. Notre voix n'a pas d'abri, pas de langue où loger. C'est un oiseau sans nid. Un chien sans niche. Nos pensées errent, sans mots où se fixer, ne serait-ce qu'un bref instant : passer le jour, passer la nuit. Puis le poème vient : il donne refuge à nos voix, qui lui sont inconnues, venues de l'étranger. Il parle toutes les langues en une : la langue d'accueil des sans-mots, des sans-voix, des sans-papiers-pour-écrire-leur-nom, des sans-identité-autre-que-leur-mutisme-reconnaissable-entre-tous.

La voix est le visage de la langue. La langue est le corps de la voix : son incarnation en une charpente de chair et d'os, de muscles, de nerfs, qui la soutient dans le monde, comme suspendue dans l'air. Le poème ne donne pas de sens, même double ou second, à l'Insensé qui nous assaille : il en reçoit son sens premier. Comme la langue reçoit sa force d'une voix d'homme ou de femme qui lui prête ou lui donne vie. Comme le corps reçoit son nom du visage d'homme ou de femme qu'il porte sur ses épaules et qui l'éclaire d'en haut, d'un regard qui jette son sens au-delà des mots.

La voix du poème n'est pas celle d'une vraie personne, en chair et en os. Cette voix a sa chair et ses propres os, qui ne sont pas les miens. Ce corps de voix est dans votre tête, bien davantage que dans les sons que je tente d'émettre. C'est en vous que sa chair frémit, en vous que ses os craquent. Moi, je me contente de faire du bruit : je lance de l'air dans l'air. À vous de le respirer, de l'inspirer, non par la bouche ni par le nez mais par l'oreille interne qui vous fait perdre puis retrouver l'équilibre à chaque nouveau pas, funambules sur le fil des mots, sur le filet de voix. Je ne parle pas, je ne récite rien : je donne de la voix à cette voix-là, pour qu'elle nous porte au-dessus des gouffres. La poésie ? La voix qui porte… mais on ne sait où… ni sur quel fil, pour le moins tordu.

III

Déposition orale

Je n'arrive pas à parler de l'oralité oralement. Il faut que je l'écrive, cette chose qui nous sort de la bouche et nous rentre dedans par les oreilles. Que je la dépose sur le papier : un dépôt de voix, un condensé d'écoute, un précipité de choses dites et entendues que je peux ensuite mettre sous ma loupe qui en grossit l'effet. Il faut qu'elle résonne par écrit : que je l'entende plus fort dans cette réverbération que l'écriture permet en amplifiant la voix humaine par celle des mots, qui ne se perçoit pleinement que si l'on se tait, laissant la langue parler toute seule dans le silence où on l'accueille.

Les mots sur la page blanche creusent une caverne plus profonde que le monde où l'on vit : ils forment une conque où l'on entend des échos de voix qui sont plus que des voix, des voix redoublées, des voix dédoublées, des voix multipliées par elles-mêmes à l'infini. L'oralité s'écrit, bien plus qu'elle ne se dit. Car elle n'exprime rien, pas même son propre souffle, qui s'imprime en nous, plutôt, imprègne tout notre être, nos voies respiratoires, nos veines et nos artères, l'envers de notre peau, où il laisse des traces que nous évoquons ensuite, leur redonnant voix dès lors que nous jetons sur le papier le sens profond de cette impression, la force de cette imprégnation, l'élan de cette inspiration. Du vent sur de la neige.

L'oralité du poème, c'est un double souffle, toujours : une âme à la deuxième puissance, de l'air par-dessus l'air, une autre couche d'oxygène par-delà celle où l'on respire. Ce n'est pas ma propre voix ni celle des autres, mais l'*autre* voix où elles se mélangent dans l'écriture et la lecture confondues des poèmes et des récits, dans les vocables écrits, qui semblent sortir de la bouche d'aucun être humain : de la bouche d'encre où la parole nous parle sans que quiconque n'ait à en relayer la voix dans la sienne. Le poème crée au-dessus des conversations une autre couche d'atmosphère où des voix qui n'appartiennent à personne circulent librement, comme dans ce qu'on appelle la tradition orale, qui passe des uns aux autres dans le plus pur anonymat : l'oralité est ce passage de voix au-dessus des hommes et des femmes, où ils attrapent un peu d'air, parfois, pour aérer leurs propres paroles, qui commencent à les étouffer.

Il n'y a plus de sages, aujourd'hui, ni de chamans ni de griots qui s'effacent devant le langage pour laisser passer les voix, pour donner le passage à cette oralité de toujours, qui se transmet de mythe en mythe, de chant en chant, de poème en poème bien plus que de personne à personne : les seuls garants de la passation ce sont les livres, désormais, nos diseurs de sorts et de songes, nos envoûteurs et nos ensorceleurs, qui nous font tourner dans le tourbillon des mots et des rimes où l'on vit la transmission orale telle une contagion, une infection de l'âme et de l'esprit qui fait qu'on entend des voix à tout bout de champ, jamais la sienne ni celle d'un autre, mais la voix même du plus lointain passé, qui semble dire le plus lointain avenir.

La transmission orale est en fait une transmutation des voix, qui changent de substance dans leur passage d'un temps à un autre, d'un lieu à un autre, surtout aujourd'hui, où elles passent par l'écrit, cette mémoire gravée de notre ancienne oralité. Une translation vocale, qui emprunte les canaux de l'écrit, le fil des lettres, les fibres du texte, et nous fait vivre cette étrange chimie où le choc des voix provoque un petit séisme de la pensée, où l'on ne sait plus qui l'on est, mêlé de près à ce qui s'émet et se transmet dans l'air où l'on est emporté.

Une voix nous tire de la torpeur, d'abord, nous ouvre les oreilles, nous ouvre l'esprit, nous ouvre le cœur, comme dans une sorte d'opération chirurgicale où l'on fouille à deux mains notre for intérieur, notre forum privé, où nous nous parlons en solitaire, dans le secret de nous-même, au sein duquel nous laissons entrer la voix pour qu'elle nous visite de fond en comble, belle étrangère au creux de chez soi, puis, quand elle nous est à ce point familière que nous comprenons ce qu'elle nous murmure et que nous mêlons notre propre voix à la sienne dans la révélation des mêmes secrets, nous reprenons notre souffle pour l'expulser au grand jour, cette oralité de fond où toutes les voix se mélangent en une seule âme qui est celle des mots bien plus que des personnes, et nous l'insufflons à ce que nous portons sur le papier pour qu'un autre après nous puisse l'inspirer à son tour, y prendre son air et le ruminer pendant des heures et des jours, vivre avec comme on fait de l'être aimé, partageant le même cœur et les mêmes poumons où son souffle circule comme chez lui, son haleine fondue à notre respiration, chacune de ses bouffées rythmant notre propre pouls.

J'ai l'air de décrire une leçon d'anatomie. C'est que l'oralité est une espèce de corps à corps. Elle ne réside pas dans l'air, venue de nulle part. Elle est tout entière dans cette double chair d'où la voix sort, où la voix entre. Elle est entre nous : issue de l'un, pénétrant l'autre, dans presque le même mouvement. Un corps subtil, un corps sublime, que le poème incarne, non pas seulement quand on le récite, à haute et intelligible voix, mais aussi quand on l'écrit ou bien le lit dans le silence des livres et des manuscrits, où sa voix se fait entendre avec plus de force, loin du bruit, loin de la rumeur, dans sa fureur intime, non plus dans les furies insignifiantes du monde extérieur, ces parasites qui brouillent les transmissions secrètes sur les lignes à haute tension de la parole humaine.

L'oralité n'existe que dans ces vases communicants que sont les mots et les phrases, les rimes et les vers du poème ou du récit écrits de long en large : dans cet alambic où la voix fermente parmi les traces qu'elle laisse dans le langage, où le poète fabrique cet alcool puissant qui nous plonge dans une ivresse de tous les sens où l'on entend des voix et voit des visions qui sont le corps et l'âme de cette « oralité » de fond d'où vient que la parole existe : le bouche à bouche avec le monde réduit à l'état de souffle, la respiration artificielle donnée au réel qui se meurt et dont les mots du poème conservent une dernière buée sur le miroir terni qu'ils tendent aux lèvres de chaque être pour y cueillir un restant de vie.

Il faut la tuyauterie du poème, ses veines et ses artères, ses nerfs, ses ligaments, sa tubulure de mots et de silences, pour faire entendre ces bruits et cette fureur, cette rumeur permanente qui coule en nous comme un train de voix chargé à bloc, sans frein, sans marche arrière. Il faut un véhicule au bruit du monde quand il résonne jusque dans nos têtes, une vésicule langagière qui en retienne le sens, l'écho. Ce vaisseau, c'est le poème : le poème qui court sur la page comme un réseau de nerfs sous la peau, qu'il met à nu, à vif, à découvert, la langue véhiculaire des aphasiques, des insensés, des affolés, qui se donnent ainsi une voix qui n'est à personne mais circule entre eux comme l'air que l'on respire, inspire, expire, entré en soi et sorti de soi aussi facilement que les visions et les pensées dont la caisse de résonance de la parole poétique fait entendre le grand bruit blanc, le battement fort comme celui du sang entre les tempes, dans la veine jugulaire, à l'intérieur du poignet.

Je n'ai pas le choix. Pour faire entendre l'oralité, je dois passer par cette voie-là : le poème. Le presque poème, en tout cas. La pensée poussée au bout d'elle-même, au bord d'elle-même et qui tombe, au-delà, en deçà, dans l'impensé où la parole en prolonge l'écho, mais en pure perte. Je dois écrire et je dois lire, non pas seulement penser ou réfléchir, même à haute voix. Je dois me retourner sur ce que j'entends pour retourner ce que je dis en son contraire ou son envers : une sorte d'ouïe imbibée d'encre où je trempe la plume pour écrire, une espèce d'oreille interne dont je scanne les acouphènes pour en tacher l'écran de petits signes insignifiants.

Le poème ? le moteur de recherche de la parole humaine. Par simple association de vocables et de voix il vous emmène sur tous les sites du monde et même au-delà : dans l'Insituable. Voilà pourquoi j'ai besoin de lui quand je cherche quelque chose ou même quelqu'un : il va dans tous les sens comme une espèce de machine folle, prête à toutes les inférences. Je tape *oralité* dans ce poème de la pensée dont je ne sais trop où il me mène, et j'attends, j'attends qu'une voix le prenne, ce mot, l'emporte au loin, dans son élan. Voici ce que ça donne. Peut-être rien, au fond. De la voix seulement. De la voix dans le désert du sens où elle résonne, en une interminable écholalie qui évoque l'*oralité* dont l'un des sens est le désir de tout avaler, de tout porter à sa bouche pour le lécher ou le manger, mâcher ses mots, avaler sa langue, dévorer sa propre voix : écrire.

*

La poésie : la parole qui va au bout de son sens. Au bout du sens, il y a le gouffre. Un vide, mais caverneux, où la parole résonne : haut et fort. Aussi haut et fort qu'elle tombe bas et vite : épuisée, exténuée. Comme évanouie. L'oralité du poème, c'est ce cri qu'il pousse devant le vide où son absence de sens le laisse : le précipite. Une sorte de cri prolongé, modulé selon le temps de la parole : aigu avant la chute, obtus après, tenu, tendu, tordu pendant, allant et venant entre les hauts et les bas, l'*arsis* et la *thèsis*. L'ictus, l'attaque, la voix dressée sur la pointe des pieds devant l'abîme, prête à plonger, puis la rechute, la retombée, la voix couchée sur son lit d'échos qui vont mourant et s'effaçant, où son sens à bout l'aura jetée, où elle ne cesse de sombrer.

Ce cri n'est pas terrible, ce hurlement n'a rien d'horrible : un petit couinement, un grincement de dents. C'est tout ce que la langue peut faire contre les horreurs du monde : rivaliser de violence avec l'Insensé. Presser le sens jusqu'à plus rien, pour qu'il rende autre chose qu'une simple idée, une vague notion, un maigre signifié : du son, du ton, du bruit et de la fureur qui fassent peur au monde, le terrorisent, l'effraient, comme si chaque vers, chaque rime, chaque métaphore faisait l'effet d'une petite bombe, non pas pour aggraver le mal en faisant tout sauter, chaque chose et le monde entier, mais pour adoucir les mœurs oratoires de l'homme comme fait la musique, la plus tonitruante, la plus déferlante, qui emporte les idées les plus belliqueuses dans un contrepoint furieux de notes et de silences. La poésie ? la dérisoire mêlée des voyelles et des consonnes, des dentales et des labiales, des césures et des rejets, des hiatus, des liaisons : un chaos de mots contre le chaos du monde. L'échauffourée de sons et de sens où la langue cogne contre le mur de l'être comme le cœur dans la poitrine, pour faire entendre qu'on vit encore même si ça meurt, autour de soi, qu'un tel battement ravive, qu'une telle battue essaie en vain de ressusciter.

La voix du poème ? celle qu'il fait entendre contre son propre sens, complice du sens général du monde qui va en guerre partout où il va, quand l'amplitude et la tessiture de son chant l'entraînent à contre-courant, dans les régions les plus libres de la parole, où tout change de registre à chaque instant plutôt que de fixer à vie la même Idée. Le poème : la voix qui mue, non pas seulement à la puberté mais à tout moment, selon les modulations de la haine et de la joie, de la peine et du plaisir qui font vibrer les cordes vocales de différentes façons, vivaces ou bien mourantes, pincées comme sont les nerfs, glissantes comme va le sang dans les veines et les artères, hurlantes ou murmurantes comme la douceur et la colère quand elles alternent au bout des doigts : ouverts sur la caresse, fermés dans le poing.

Le poème ? la poigne qui tantôt étrangle tantôt étreint. Jusque dans la gorge que ça serre ou ça délie pour que l'air passe ou ne passe pas : un asthme et une aérobie, où l'on apprend tour à tour à inspirer le réel et à l'expirer, à s'en remplir les poumons puis à plonger dans une interminable apnée, à ne plus sentir le monde ou à l'avaler par le nez. Une hyperventilation de l'âme et des poumons dans les conditions où règne l'asphyxie : la langue respire mal et l'être est à bout de souffle, la poésie est leur poumon d'acier, le respirateur artificiel qui propulse l'air de l'intérieur, depuis le cœur battant des mots et des silences qui nous habitent comme les anges et les dieux habitent le ciel mais entassés, quand le dedans des hommes et des femmes est un néant sans fin ni commencement, un vide plus grand que l'éternité.

La poésie ne se satisfait pas de son sens. Elle en veut plus. Elle ne veut rien dire, pourtant, mais elle veut parler : ouvrir la bouche. Dès qu'elle ouvre la bouche, c'est un flot de bruits blancs et de silences pesants qu'elle fait entendre pour enterrer son propre sens, qu'on n'aperçoit plus, enfoui sous des tonnes de décibels. La voix du poème : celle qu'on lui a coupée et qu'il recoud avec des mots qui laissent partout des cicatrices, des césures, des coupures, des ruptures de sens et de tons où l'on voit que la parole n'est jamais lisse, craquelée et lézardée sous l'usure du temps, travaillée de l'intérieur par l'Histoire même qui la malmène et la pourfend.

La voix du poème a des cernes et des rides qu'on appelle vers, mètres, rimes, profondes crevasses dans la page blanche où l'on coule le sens de sa propre vie comme s'il s'agissait d'une pâte sonore servant à en boucher les trous. On écrit pour ça : colmater les brèches de sa propre voix, non tant pour en cacher l'essentielle fêlure que pour panser avec la gaze des mots et le baume des phrases les plaies que la vie ouvre en soi et que seul le bruit recouvre, non pas en les effaçant, mais en désignant sous les compresses et les pansements le mal qui nous ronge.

Le poème : l'emplâtre sur la langue de bois. Ça ne guérit rien, ni les fêlures, ni les coupures, mais ça en exhibe les nœuds, les plaies, d'où vient le mal qui frappe notre parole, dont semble atteint le langage même, la faculté de parler et de se taire qu'on n'arrive plus à maîtriser, tellement ses rouages se sont emballés, dans des réflexes et des automatismes qui sont comme des couteaux à cran d'arrêt, qui s'ouvrent d'un coup, dès qu'on ouvre la bouche.

Il faut opposer à cette langue qui crépite partout comme une arme automatique déballée de ses bronches et de ses tripes une autre espèce d'emballement : une poussée et un élan, dont la voix nue est le ressort le plus puissant, la voix insensée qui ne s'arrête pas aux mots et aux idées, qui ne se vêt pas d'une langue toute faite, prête à porter, mais taille dans l'air des bouts de chiffons dont elle se drape, allant droit devant, mal attifée, vers les endroits les plus obscurs de la pensée, les terrains vagues et les zones franches, à peine explorés, où errent tous les manants chassés du monde ou interdits de parole, les éloignés de la vie, les expulsés de l'histoire.

*

Il y a des moments où la parole n'en peut plus. Elle en a assez de dire non : de raconter, d'argumenter, de protester. Alors, elle change de ton : elle se met à bruire et à crier. Elle quitte le discours, l'*oratio*, comme dit le latin, pour se laisser aller à son propre cours, sonore et impétueux, pour se laisser gagner par son oralité : elle est orante, alors, priant tel un muezzin du haut de son minaret, tel un derviche plongé dans sa transe, tel un chaman dans ses formules magiques. Elle est oraison, elle est orémus : elle prie, elle crie, elle ne sait plus parler, emportée par tout ce qu'elle dit, en un mouvement tournant comme le vent dans le fond d'un puits, comme le cercle que forment les grands rapaces au-dessus des caravanes d'hommes et de femmes dans les déserts où ils s'enfoncent pour ne plus revenir, revenir à eux, revenir au monde, s'enlisant dans les courants de fond de la langue tourbillonnante, poètes tourneurs qui se noient dans le battement de leurs bras et de leurs jambes contre la force gravitationnelle des mots, moulins à paroles qui ne brassent que l'air où ils étouffent, le vent violent qui les emporte.

Notre raison d'être s'est muée depuis longtemps en une raison de crier. Même à voix basse. Même à demi-mot. C'est à voix basse que crie la poésie, c'est à demi-mot qu'elle râle : l'autre moitié d'elle-même plongée dans un profond mutisme. La voix du poème, sa vocalité, sa vocation, est de pousser un cri si fort qu'il la dégage tout entière du silence où elle s'enterre. Il faut qu'elle parle fort, cette voix, pour faire entendre tout ce qu'elle tait, tout ce qu'elle terre dans l'aphasie où l'ont plongée tant de secrets : le fait qu'elle est autiste depuis l'enfance, mutique de naissance, incapable de dire quoi que ce soit sans le cacher dans le bruit des mots et la rumeur des phrases qui couvrent leur propre sens.

La voix du poème prend sa source dans le puits tari des mots et des phrases dans lequel l'absence de sens nous plonge en une terrible apnée, puis elle se mue en un geyser : une gerbe sonore et insensée qui envahit le ciel et le noircit d'échos, une langue en gésine qui lance en l'air sa progéniture de mots dont les sons retombent sur nous en une pluie fine ou torrentielle où l'on reconnaît ce qu'est une voix, tombée du ciel mais originaire du cœur de la terre où l'on inhume son passé, ses proches et ses moins proches, les morts et les blessés de sa vie, pour qu'en ressorte un jour, dans un poème ou dans un récit, la voix ressuscitée tel un nouveau-né jailli tout armé des entrailles de la parole qui sont nos bronches et nos poumons, la gorge entravée par toute cette terre que la vie même nous fait avaler.

L'oralité du poème ne consiste pas à écrire la voix ou à parler la lettre : à tracer quelques bruits de gorge sur le papier ou à émettre dans l'air quelques sons tirés d'une suite de caractères. Elle consiste à « vocaliser » : à entretenir la voix de l'homme et de la femme par des exercices spirituels et charnels de langue et de silence grâce auxquels le souffle humain et l'âme humaine gardent leur force, conservent leur énergie, et redonnent vie à notre monde qui en a bien besoin. La poésie est un mode de transfusion bien plus que de transmission : elle fait passer le souffle de son état vocal à son état vital en transmutant l'air qu'il y a dans les mots, dès lors qu'une voix les prend en charge, en oxygène qui aère d'un coup l'esprit et les poumons de l'homme et de la femme en manque d'inspiration, à quoi supplée le souffle fort dont le poème semble porteur, bien plus que d'un sens qui continue de lui faire défaut.

La vie des hommes n'a pas besoin de sens mais de souffle : pour aller jusqu'au bout, au bout d'eux-mêmes sans s'étouffer. Au poème de le leur donner. Comme on donne la parole aux bâillonnés, donnons de l'air aux essoufflés. Faisons de l'air dans nos pensées, où l'âme de l'homme puisse circuler. Réglons le trafic du souffle dans le monde intérieur de l'homme pour que la vie ne soit plus bouchée, embouteillée : aérons l'être et le monde entier, vocalisons, plongeons le monde dans la cantilation, dans le bouche-à-bouche du poème qui embrasse tout notre être et de nos propres bronches qui s'abouchent aux mots. Parlons. Ouvrons la bouche, ouvrons les poumons. Et respirons.

Il y a une seule façon de libérer l'espace et le temps, de nous libérer du sens et des pensées qui nous les bouchent et les obstruent, c'est de souffler dessus : faire voler en miettes, grâce au souffle du poème, les vanités les plus futiles qui les meublent et les encombrent, faire table rase des étals, des comptoirs, des étagères où l'on entasse les biens de ce monde sans plus en jouir que d'un regard désabusé, impuissant à faire du bien, à soi comme aux autres. Le poème crée devant soi un espace libre et un temps libre où la parole souffle où elle veut, et sur elle-même le plus souvent, dans un grand courant d'air où elle est emportée, avec les choses dont elle parle, avec les personnes à qui elle parle, avec le monde où elle est parlée. La vocalité de la poésie, sa vocation, est de maintenir libre cet espace de parole dans le corps de l'homme pour qu'il respire en toute liberté, non seulement par ses bronches et ses poumons mais par son être tout entier.

Je lis des poèmes quand j'ai besoin de respirer par le cœur et par la tête, et tous les pores de ma peau, non pas seulement par la bouche ou par le nez. Leur voix entre en nous par les yeux et les oreilles mais leur souffle est si puissant qu'il résonne dans la cervelle et les artères coronariennes, dans toutes les couches de l'épiderme, comme si c'était un deuxième sang qui battait en nous : le sang d'un autre qui se mêle au sien aussi intimement que deux langues s'emmêlent dans le baiser.

Mon propre air ne me suffit pas pour respirer : j'ai besoin de l'air des autres, d'un autre, d'une autre, pour que mon souffle se renouvelle dans mes poumons avec des mots qui ne m'appartiennent pas, auxquels je me donne ou me prête, avec une voix étrangère soudain familière qui prend la place de la mienne dans le fond de ma gorge, avec une parole que je ne comprends pas mais dont je subis le charme et la force jusque dans les battements de cœur qu'elle accélère entre mes côtes. J'ai besoin d'entendre bruire mon sang dans la voix des autres : il rend un son si étrange que je me demande si ce n'est pas un flux de mots insignifiants qui coule dans mes artères et un sang puissant qui pulse dans cette voix que je ressens comme un coup au cœur, bien plus que je ne l'entends.

Écrire Dieu

L'idée du divin survit sans mal à la mort de Dieu, non pas comme un souvenir, une vague réminiscence ou quelques restes à honorer, mais comme une promesse jamais tenue, une question de fond non résolue : comment l'histoire dont on croit qu'elle touche à sa fin à chaque tournant de millénaire pourra-t-elle s'en passer et en faire son deuil ? On n'a plus d'histoire : on *est* l'histoire, qu'on vit et qu'on incarne, sachant qu'on ne peut rien en dire. De même, on *écrit* Dieu, à défaut de le penser. C'est un mot clé, qui en garde l'idée, en l'absence de la chose à laquelle il peut renvoyer. Le poème prend le relais des libations et des implorations, des supplications et autres imprécations, ces formes de la prière que le latin appelle *precaria* pour dire comment elles sont « précaires » autant que Dieu, fugaces et éphémères, mortelles infiniment, à l'image de l'homme devant l'histoire.

Écrire : lire l'improbable avenir de Dieu dans l'indéchiffrable mémoire qu'il nous a laissée, dans les grands mythes, dans une sagesse que prolonge l'éthique, dans le sacré dont l'art et le poème, l'expérience mystique et la méditation philosophique sont porteurs depuis des siècles.

Ils nous lèguent cette ultime leçon : l'écriture fait face à l'Histoire en se retournant sur ce qui la fonde pour voir comment elle s'est effondrée.

L'idée d'homme est inachevée, celles de l'État ou de l'histoire ont bien tenté de la compléter, de la parfaire au cours des derniers siècles, mais n'ont rien su faire que souligner en rouge sa finitude et son incomplétude, autant dire notre incurable solitude dans un monde *déshumanisé*, que l'homme aura créé à sa propre image comme il a cru l'être à celle de Dieu, tout *dédivinisé* qu'il paraisse depuis ses débuts. L'humanisme aura cherché à nous dispenser de l'idée de Dieu, que les lois naturelles et les règles sociales étaient censées remplacer, mais l'échec cuisant que l'histoire aura opposé à cette tentative aujourd'hui désespérée nous laisse avec ce *reste* : si l'homme n'est pas tout et que l'histoire, supposée le parfaire, peut le réduire à rien, alors *que faire* de ce que l'homme n'est pas, de ce que l'homme n'est plus, *que faire* de ses cendres ?

Peut-on accommoder ces « restes », par la profanation du sacré, par l'incarnation de Dieu dans les limites de la chair de l'homme ? Doit-on s'en remettre à la tradition, elle-même porteuse des mythes et des croyances les plus oubliés, dont la fiction poétique ou romanesque serait le commentaire pris à la lettre, dans la chair du verbe, ses figures et ses rythmes, bien plus que dans les seules idées, en quoi on a perdu la foi ? Doit-on ressusciter Dieu pour compenser la mort de l'Homme, dans une histoire que l'imagination récrit sans cesse pour contrebalancer notre perte de mémoire ? Peut-on ménager dans l'espace tout extérieur du monde un lieu interne où l'on puisse entendre la voix qui par son seul silence devenu sensible enterre toutes les rumeurs, tous les bruits et toutes les fureurs ?

Le nom de Dieu continue de s'écrire en l'absence même de la chose qu'il nomme – en présence de laquelle l'homme se tairait, peut-être, comblé dans tous ses manques, relevé de ses manquements. Le poème dit le monde *in absentia*, guidé par ce qui n'existe pas, ce qui a disparu ou reste indéfiniment à inventer, comme ce nom-là qui est un verbe, auquel il tente de donner un sens même figuré, voire insensé, dans un monde que notre propre histoire aura vidé du sien.

*

La Bible, c'est le grand code. Une sorte de langue au-dessus des langues, qui les domine. Un langue au-dessous des langues, plutôt, qui les sous-tend. Une archilangue, comme on dit, dont tant de langues sont dérivées. Une archélangue, en fait. Le terrain de fouilles de langues et de paroles sans nombre, qui s'y étendent ou sur lequel elles se dressent, mais qui ne trouvent leur sens que dans ce terreau premier qu'il faut creuser, fouiller, pour comprendre ce qu'on dit ou bien écrit.

La Bible n'est pas une fondation ni un fondement, mais un sous-sol sans fond, un souterrain en éruption, même si elle semble sommeiller depuis des siècles, une plaque tectonique vivante qui bouge sans arrêt sous notre histoire en apparence finie, qu'elle secoue et fait trembler de long en large, de mille et une secousses qu'enregistrent les poèmes et les romans qui ont pris le relais des psaumes et des fables, des mythes et des prophéties.

La Bible n'est pas vraiment un code, comme on le dit du morse, de la sténo ou de n'importe quel langage secret qu'il faut savoir *déchiffrer*, et dont le sens repose sur une règle, une loi ou un décret : elle est en fait une vaste lande à *défricher*, une forêt vierge ou un terrain laissé en friche où poussent toutes sortes de choses qu'on ne peut maîtriser. Elle est un monde, une terre en jachère, un immense territoire plus ou moins boisé où l'on se perd, jamais une loi ou un système plus ou moins codé qui nous permettent de nous y retrouver.

On dit qu'on veut *retrouver* ses origines : on veut s'y perdre, en fait, parce que l'*archè*, l'ancien, l'ancestral, l'originaire, n'a rien d'unique, comme serait la vérité, et il est loin d'être clair, comme le montre la Genèse elle-même, qui commence dans un chaos : « Premiers / Dieu crée ciel et terre / terre vide solitude / noir au-dessus des fonds / souffle de dieu / mouvements au-dessus des eaux ». Dieu souffle dans le noir, au-dessus des fonds, on pourrait dire des gouffres. Son premier geste est de créer ciel et terre, haut et bas, avant même que la lumière se fasse, qui aurait pu nous éclairer sur cette sombre affaire : *terre*, *vide*, *solitude*, plongée dans la plus grande obscurité – dans cet abîme : ce « noir au-dessus des fonds ». Le souffle de Dieu, avant d'être un verbe ou une parole qui nous éclaire sur ce qu'elle dit comme la lumière illumine la terre du haut des cieux dont elle vivra séparée, est un pur mouvement au-dessus des eaux, une brise, un vent, l'annonce d'une tempête.

La Bible commence *là*, non comme une forme, une loi, un code, mais un fond sans fond : un terrain de fouille dans lequel on creuse sans arrêt pour découvrir que l'origine n'a pas de fin, le commencement n'a pas de fondement, qu'on ne peut l'atteindre ni le toucher par une parole de vérité. On peut seulement souffler dessus comme on ferait d'une flamme ou d'une bougie, pour nous replonger dans le noir le plus total où l'on ressent alors cette origine perdue, qui n'est pas *une* mais mille, comme sont les eaux sur lesquelles planent les souffles humains et les divins, les âmes parlantes de l'homme comme l'haleine sombre du Dieu le plus ancien.

Le poète relit la Bible pour faire remonter dans sa parole vieillissante ce souffle premier, cet air naissant, d'avant le sens, d'avant l'idée, d'avant le verbe au sens propre, cette bouffée d'air qui est la vie elle-même à son commencement, *anima* et *pneuma* réunis, la respiration pure et simple de l'homme plongé dans le noir d'une existence sans fond, qui est « terre vide solitude » : Adam solitaire dans son Éden désert, homme de terre et de boue jeté dans un monde encore vacant, toujours isolé.

Le poète renfourne la parole dans son antre obscur, dans sa source matricielle qui réunit à nouveau les eaux d'en haut et les eaux d'en bas dans le tohu-bohu du tout premier début, quand « terre vide solitude » ne connaissent qu'un souffle vague qui les traverse : pas encore une parole qui les sépare, mais un rythme pur qui les parcourt et les *trans-scande*, danse au travers et leur danse dedans.

La langue du poème comme celle de la prière fait tourner l'homme dans sa parole comme le derviche dans son corps : toute poésie et toute prière sont un moulin à brasser l'air, les souffles humains qu'elles mélangent l'un à l'autre dans le même mouvement tourbillonnant, vertigineux. Une toupie de mots, de sons, de voix, non pas pour s'étourdir, dans une sorte d'ivresse de tous les sens, mais pour épouser au plus près le mouvement du souffle originaire sur les eaux vives, avant qu'elles ne crèvent et ne donnent ce monde presque avorté, né avant terme, prématuré, auquel il faut sans cesse redonner le jour dans la parole poétique pour qu'il ne disparaisse dans ses apocalypses répétées.

Il faut entendre et faire entendre la langue à son commencement, dans ses premières jubilations et ses premières colères, pour que le monde lui-même puisse un jour recommencer. Notre monde est épuisé, notre histoire souffre d'une immense fatigue, l'humanité elle-même vit dans une sorte d'inanition, d'anorexie : elle n'a plus faim de rien, pas même d'avenir, elle ne se nourrit plus, ni de rêves ni d'utopies, comme autrefois, au temps du progrès. C'est pourquoi ses livres de chevet ne sont plus des manifestes, des tracts, des programmes et des traités, mais, de nouveau, le livre des livres, le tout premier où s'est incarnée une véritable « éthique » de la parole, non pas une morale qui dicterait ce qu'il est bon ou mauvais de dire et de ne pas dire, mais un *ethos* de la « profération », une manière de se porter devant, de se porter au-devant des autres, de porter sa voix jusqu'à l'autre, de la lui apporter afin qu'il la prenne à son tour pour se porter ou se déporter vers nous : une manière d'être dans son souffle et dans son âme dès lors qu'on expire de toutes ses forces en s'adressant aux autres, une manière juste de respirer dans la parole qui circule entre les hommes et communique de l'un à l'autre le souffle de leur commune humanité, bien avant la moindre valeur et la moindre idée, qui nous séparent et nous divisent.

Les premières confréries religieuses sont des communautés d'orants, des hordes de priants : ils refusent de parler, de se parler l'un à l'autre, mais ils prient *ensemble*, ils chantent et psalmodient, à l'unisson ou en contrepoint, toujours en harmonie, dans cette parole qui les détourne les uns des autres pour les tourner vers ce qui fait leur commune humanité : ce souffle qui passe entre eux bien mieux que le moindre sens ou la moindre idée, cette vie qui passe de l'un à l'autre pour aller au-delà, où tous les souffles se concentrent en une seule respiration, celle qu'on entend au commencement, dans l'indistinction du soir et du matin, dans la nuit des temps, d'avant l'instant de la lumière qui sépare tout en un coup de couteau aussi bref que l'éclair.

C'est avec ça qu'on écrira : du noir coupé par la lumière, de la nuit scindée par le jour. On ne vient pas au monde tout de suite. On a encore un pied dans le non-monde tant qu'on n'est pas arrivé au bout de soi-même dans le monde autre et sans limites que la langue nous ouvre : ce monde jamais donné qu'il nous faut prendre comme on prend la parole pour aussitôt la perdre. Le monde ouvert comme une question, jamais posée devant soi. Qui se retire, plutôt, comme une parole que l'on regrette, retournée à son silence. Un monde qui ne se donne à personne, qui se refuse à lui-même. Niant ce qu'il est pour affirmer ce qu'il n'est pas et ne sera jamais. Un monde par défaut, un monde par dépit. Le monde de la poésie, qui se fait pure virtualité là même où se défait notre peu de réalité : dans ce qui survit aux dieux et aux hommes en ce bas monde que la parole évide pour y recueillir les restes d'humanité ou de divinité dont la mémoire fera son fonds, que le rêve, ensuite, va disperser, disséminer, dilapider.

Le poème : la garderie des esprits fous. Le vivier des âmes égarées dont notre monde est le tombeau ouvert où chaque mot va les chercher, les ramenant à l'air libre qui leur ravive la mémoire au point qu'elles recréent en elles le lieu secret de leur naissance. Écrire : s'extraire dans la douleur et dans les cris du monde où l'on est né pour venir au monde qu'on fera naître dans les mêmes douleurs et les mêmes cris, dont la noirceur arrive à la lumière. Je ne connais qu'un seul autodafé : celui où le désir nous brûle de l'intérieur, muant la suie en braise, la cendre en lueur, la nuit en jour. J'écris dans cette lumière : j'écris son ombre. J'écris à la rencontre des eaux d'en haut et des eaux d'en bas… quand elles tombent ou montent vers ce feu-là. Dans les hauts et les bas d'une langue qui vacille comme une flamme sous le vent, une flamme sous la pluie.

Salto mortale

On est sur le ring. Sur la piste ou sur le court. On est dans l'arène. Sous les projecteurs. L'œil de Dieu dans ces milliers d'yeux : des médailles d'or. Oboles qu'on place sous la langue des trépassés pour qu'ils passent sans peine de l'autre côté ; qu'on met désormais sur les orbites creuses des spectateurs qui regardent la vie passer… et la mort qui finira un jour par l'arrêter, d'un coup d'épaule ou d'un coup de sifflet. On veut voir de près les héros du stade passer vivants par le chas de leur bouche qui bée, de leurs yeux plissés : passer haut et court par tous les pores de leur propre peau.

On payerait cher pour voir la mort en maillot noir marquer son premier point contre cet homme, là-bas, ou son semblable, qui court ou qui patine, lutte et boxe, tombe à la renverse, chute puis rechute et ne se relèvera plus : une tranche de vie étalée là, toute son histoire à plat. Son corps plié en deux sous la caméra de nos deux yeux, qui ont le bras long et la poigne ferme. Une vie entière sur petit écran : trente centimètres de sueur, de sang. Vingt pouces carrés de muscles et de chairs pour les voyeurs de notre espèce : ceux qui restent sur la clôture, à regarder le temps passer… et les hommes tomber.

La vie ? un sport dangereux auquel plusieurs assistent depuis les loges ou le poulailler plutôt que d'y participer : on regarde de loin, avec des jumelles, des êtres nus plongés dans le monde, se sacrifier mutuellement dans des combats ou des étreintes qu'on ne distingue plus, des coups bas ou des frôlements de corps, des cris et des geignements qui se perdent sous les huées et les hourras, les hurlements des supporters, les quolibets des détracteurs, le braillement morne de l'annonceur… bruits et rumeurs d'une vie qui va. Comme on va tous à l'abattoir, avec la même conviction qu'on y arrachera une toute dernière victoire, bien méritée.

Certains pratiquent ce sport extrême : écrire un poème. Inspirer puis expirer, les poumons pleins de mots et de silences chargés de haine, d'amour, de sens propres ou figurés, qui prennent la place de l'air, qui prennent la place de la vie. Le ring est une table, l'arène une chambre close, le stade est jonché de papiers roulés en boule ou déchirés, la piste est bordée de livres… et on est là, sans protection, ni casque ni masque, sous le regard de Dieu sait qui et le diable encore moins, sous ce regard glacé dont on sent la lame sur sa nuque puis sur chaque mot qu'on essaie de tracer, qu'elle nous coupe avant même qu'on ait fini de le coucher sur le papier, l'épaule au plancher.

Écrire est un jeu de paumes : une partie de bras de fer qui met aux prises l'homme seul et ses fantômes, fin prêts à s'affronter, le solitaire dans son coin gauche, son

112

recoin sombre, bien enfoncé, et devant lui mais dans son dos aussi, autour de lui et même au-dessus, en dessous, on ne le sait trop, on n'a pas regardé, les spectres par milliers dont il tire au sort lequel va lui donner les premiers coups. Vous le premier ?

On n'aime qu'un sport : le full-contact. Avec la langue, le monde, avec la vie, la mort. On prend le réel à bras-le-corps : lui tord le bras, le met k.-o. Dans le même mouvement qui consiste à retourner la langue comme un gant pour voir ce qu'elle nous cache, ce qu'elle a dans le ventre : un monde plus vaste et terrifiant que le beau petit monde qu'on nous a donné, qu'on va nous enlever, un monde où mourir même est infini.

Mon sport préféré : tordre le cou à la réalité pour que l'éloquence au sens fort, la parole en nerfs et en muscles, puisse avoir le dernier mot. Que la pensée batte à coups de phrases frappantes la force brute sur son propre terrain. Avec des passes qu'elle n'a pas prévues : des passes de mots devant lesquelles elle reste muette, toute sa violence béate. La bêtise rencontre un os : la langue en travers de la gorge pour qu'elle s'arrête d'aboyer de rage quand le néant s'approche. Les mots parlent à la place des choses qui jappent, grognent, mordent les mollets puis déguerpissent : les mots prient, les mots crient, quand les choses restent bouche bée devant la menace du monde et son silence, toutes leurs dents cassées, leur langue pendante et comme arrachée.

Les mots se mettent à dire et à conter ce qui n'existe pas, ce qui n'est rien mais nous obsède depuis des siècles, qu'on appelle Dieu, le Vide, l'absence radicale avec

113

laquelle on ne cesse de se battre et que dans une langue à bout de souffle on croit étreindre une fois pour toutes, comme le sprinter à la ligne d'arrivée ouvre les bras et embrasse l'air, l'espace ou l'infini, l'avenir, l'éternité, les bras en croix au-dessus de sa tête pour le saut de l'ange avec double vrille, triple piqué.

*

Je n'aime que les sports de combat dans lesquels l'ennemi ou l'adversaire n'existe pas : on est la proie des ombres, le prédateur de l'air. On chasse le vent avec ses poumons, bien plus qu'avec ses poings. Avec son âme, ce souffle fort entre ses dents, ce vide entre ses mains, avec lequel on fait plus de mal qu'à la force du poignet. Une force libre, libre comme l'air : l'air qu'on respire contre l'air qui nous étouffe, le mot qu'on crie contre le silence qui nous bâillonne, les grandes clameurs de poésie contre le mutisme généralisé de ceux qui parlent avec leurs mains devant leur bouche.

Je suis du genre à sortir des cordes comme on sort de ses gonds pour m'en prendre aux arbitres : leur dire leurs quatre vérités. Leur asséner un sens qu'ils ne comprennent pas, direct à la pensée. Comme par intraveineuse : une phrase boiteuse, une image mal dégrossie, un souvenir vite oublié à leur mémoire malade, à leur conscience mal réveillée, à leur cervelle gelée, sur leur pauvre crâne ouaté de pensées molles. Des punching-balls au regard fixe, la bouche ouverte, qui prennent des coups entre les tempes : du sens qui n'en est pas, des mots qui ne veulent rien dire, mais qui frappent l'esprit avec leur bâton, au rythme où on les assène sur les boîtes crâniennes fermées à clé où ils rebondissent comme des balles folles, perdues… sans y entrer, y pénétrer, y faire entendre leurs plus flagrantes déflagrations.

Autant dire qu'on boxe seul. Avec son ombre. On fait des patiences, des réussites. On jouerait bien à la balle au mur. Et l'on se dit : la vie est un sport solitaire qu'on pratique devant une salle déserte où même les fantômes ne comprennent rien aux règles, qui changent à tout moment. Il n'y a pas d'autres règlements que ceux qu'on trouve dans les poèmes où il est dit qu'il faut tricher pour énoncer des vérités, faire des feintes pour éviter d'être touché, dribbler avec les mots et les silences pour être sûr de tout déjouer : la vie, la mort et tout ce qui s'ensuit, quand c'est un mur que l'on rencontre bien plus qu'un adversaire ou un ennemi.

Les poètes sont des handicapés : ils ne peuvent penser ou réfléchir sans écrire, qui est courir ou patiner, lutter, boxer, plutôt que simplement marcher, s'asseoir ou bien dormir. Les mots sont leurs béquilles pour avancer dans leur pensée, sauter, glisser, chuter, des lunettes pour voir ce qui s'agite dans leur tête ou pour viser sur quelque cible le sens le plus obscur de leur histoire plongée dans le noir, des appareils auditifs pour mieux entendre leur propre voix ou celle de leur conscience, qu'ils lancent ou bien relancent comme un javelot ou comme un disque au-dessus des têtes, sur lesquelles ils tombent, parfois, comme tout finit par tomber, et le poète parmi ses mots, réduits en miettes, toutes ses béquilles cassées.

Le poète ? un sprinter qui boite. Œdipe aux pieds bandés, pressé d'atteindre la ligne d'arrivée : il tue, il baise, il répond à toutes les questions par son surnom. Ou par ce drôle de mot : coupable, coupable infiniment. Coupable de quoi ? coupable de soi. D'excès de vitesse, d'excès d'ivresse. D'excès de tristesse. Il brûle sa vie par les deux bouts. Toujours au bout de sa mèche. Son pied malade le fait courir plus vite… pour calmer sa souffrance : pour la semer, l'oublier derrière, avec son ombre. Cette grande agitation de tout son corps, comme s'il allait mourir demain, apaise ses blessures, qui datent de sa naissance et remontent plus loin : du ventre de sa mère qu'il a coupé en deux comme il fendra son père et se crèvera les yeux. Cette grande agitation, il appelle ça : écrire. D'autres diront : courir, sauter, nager, plonger.

Ma vie est un flipper, à quoi je joue soir et matin. Je ne cesse de la secouer : rien ne va plus dans ce bas monde qu'à grands coups de reins dans les mécaniques, à grands coups de poings dans ce billard de verre où l'on enferme sa vie entière, qui se cogne partout, en prend plein la gueule avant de tomber dans le dernier trou, quand tout fait *tilt*, à la fin, que ça s'éteint et nous avec, que c'est la mort qui empoche tout.

La vie a ses partisans, ses hooligans les plus violents, mais c'est la mort qui gagne et c'est sur elle qu'il faut parier, même si elle n'a qu'un supporter, dont elle remporte et emporte l'âme, son plus cher trophée. L'unique terrain où elle joue sa partie n'est ni le ring ni le green ni la piste, mais le *no man's land* où l'on ne se bat qu'avec soi-même, seul à seul jusqu'à la dernière ronde, dans le *free for all* le plus complet, tous les coups bas permis. Pas ceux qu'on donne : ceux qu'on reçoit, comme on a reçu la vie.

IV

Accompagnement

> Cette écriture fait des quarts-de-lune, des pas de trottoir.
>
> Cette écriture, de part en part, est traversée par la circonstance. La circonstance : *les* circonstances. Qu'est-ce ?
>
> La parole photographiée. Celui qui écrit entend par là, car il a de l'ouïe, tout ce qui est dit autour de lui – absolument tout. Il a l'oreille fine quand il écrit.
>
> Michel VAN SCHENDEL, *De l'œil et de l'écoute*

Toute poésie est de circonstance. Elle « se tient debout autour », dans la *circum-stantia*. Elle nous entoure, nous environne. C'est un séjour, une demeure, une chambre ou une stanze – *stanza*, du latin *stare* : l'endroit où l'« on se tient », le lieu que l'on fréquente – qui nous enceint comme on embrasse et on étreint. Elle fait cercle autour de nous. Elle nous soutient de sa présence, de sa prévenance. Elle se soucie de nous, s'occupe de ce que nous sommes. Elle nous entoure de ses soins. Ceux qu'elle prend en chaque mot de la chose qu'il désigne. Ceux qu'elle donne en chaque vers au monde qui s'y dessine.

Le poème est entourage : il accompagne notre fait d'être, en dit la conjoncture, les coïncidences, l'éventualité. Il est le complément circonstanciel de nos vies, dont il marque le temps, le lieu, le but et la manière, les causes et les moyens, cernant l'incernable. Il est parole circonstanciée, dont chaque détail, dans une image ou dans un son, l'emporte sur le sens global, qu'il circonvient, détourne de ses fins, l'amenant à incarner ce pur concours de circonstances où il prend forme, où il a lieu, où il fait acte de présence.

Le poème est l'« impression du souci » dans l'« étendue de la parole » : il imprime en chaque mot le soin qu'on prend du monde auquel aucune autre parole ne peut porter secours. Il est action, parce que passion. Il agit sur nous comme les circonstances sur l'événement : il déclenche, entraîne, provoque. Il est l'occasion inespérée : la circonstance qui vient à propos. La chance de l'histoire. Qui bifurque, dévie, prend d'autres chemins sous son impulsion.

Le poème n'est pas un fait, il est un *faire* : l'événement qui ne cesse d'agir dans l'histoire où il a lieu, non pas seulement comme circonstant mais comme actant, aussi, acteur à part entière. Le poème est politique parce que poïétique de part en part : il crée et il produit, il fait et il agit. Il fait l'histoire comme l'histoire le fait, dans un « milieu », un « entourage », les circonstances d'une vie qui ne va jamais sans un accompagnement de mots, d'une langue qui ne va nulle part sans s'entourer d'un monde, d'un corps parlant qui ne peut pas vivre sans l'épaulement des autres.

Écrire non pas *sur* mais *autour* d'un homme qui a lui-même créé notre entourage, nos alentours. Une photo de mots, de phrases, de voix distinctes mais accordées, réunis autour d'un homme qui est à l'écoute de tous et de chacun, pour rendre hommage à son oreille, son oreille fine, cette ouïe qui capte jusqu'à l'inouï, ce sens aigu du son que rend la vie des autres dans sa parole, dans son accent à lui, sa tessiture et sa tonalité. Une photo de groupe, où des paroles se rassemblent autour d'une *voix* unique, multiple et solidaire aussi, pour faire écho à cette écoute qu'elle prête aux autres dès qu'elle s'écrit.

Des voix qui font entendre une harmonique, vibrant sur la même fréquence, celle d'une histoire que l'on partage avec celui qui nous « accorde », qui met nos mots et nos pensées au diapason d'une mémoire commune, d'un contrepoint ou d'une polyphonie où s'entrecroisent les solidarités les plus indéfectibles. Elles forment son « entourage » : le cercle de ses proches, qui se « tiennent debout autour ». Pour la circonstance. Comme sa poésie à lui se tient autour de nous, droite et fière, ferme, résolue, résistante. Une solidarité se dessine, comme celle que ses poèmes ont pu créer dans l'entourage qu'ils nous ont donné. Une vie qu'entoure le poème de tous côtés : celui qui *se tient debout* autour de nous, pour nous apprendre à résister, pour nous apprendre à exister.

*

Michel van Schendel est polygraphe : ses livres sont des détecteurs de vérités à demi cachées, autrement invérifiables. Comme la machine qui emprunte son nom au

verbe *polygraphein* : « écrire en nombre », dans la plura-
lité, « écrire à foison », graver non pas la duplicité mais
la multiplicité des voix qui nous hantent, égratigner la
langue pour lui faire rendre tous ses secrets, les plus
enfouis, les mieux gardés.

Une écriture branchée au corps et à l'esprit, sensible
aux moindres émotions qui révèlent ce qu'on cèle et
recèle au plus profond : nos fictions les plus justes, nos
faussetés les plus sûres, nos fantasmes les plus francs,
nos mensonges les plus vrais. L'oscillation sur la page
des rythmes cardiaques, nerveux, pulmonaires, qui portent
le sens secret des états d'âme que le poème ne cesse de
détecter, peut-être d'inventer, car le battement du vers fait
battre le cœur plus vite ou plus lentement, dans l'aryth-
mie des pensées et des sentiments les plus étranges, où
ils nous plongent comme pour la première fois, créant de
toutes pièces des émotions plus vraies que nature, qui
nous emportent comme ferait l'émoi.

Ses poèmes et sa prose me posent des questions multiples, toutes en même temps, auxquelles seule l'émotion
répond, car il ne s'agit pas d'un interrogatoire, ni d'une
quête ou d'une enquête, d'un questionnement de fond,
qu'il fuit comme la peste, mais d'une demande d'écoute,
d'écho, que la parole incarne en son appel ou son adresse,
elle qui n'asserte et ne nie rien, jamais affirmative ou
négative, mais interrogative comme le monde même,
comme cette « question » du monde et de l'histoire qui
gardent pour eux leur vérité, qu'on ne peut que sonder,
avec les ondes du poème, sans pouvoir jamais la leur
arracher.

Son œuvre est polygraphique en un autre sens encore : les questions y sont si foisonnantes et diversifiées que sa voix ne peut en répondre et leur faire écho qu'en prenant elle-même de multiples formes, celle du poème, en vers et en prose, celle du récit, du conte ou du roman, celle de l'essai, de la fiction autobiographique, celle même de la conversation. Une pensée encyclopédique, incarnée dans une parole protéiforme. On croit lire des mémoires et on est dans une fiction, où l'on rencontre des recettes de cuisine, des témoignages personnels, des enquêtes historiques, des propos sur l'art, des méditations poétiques, des bribes de polémiques, des prises de position politiques, des maximes, des aphorismes, parfois même des comptines et des ritournelles : un souk ou un bazar, foisonnants de poèmes et de pensées, où tout paraît rangé dans le plus beau et le plus grand désordre, celui du monde comme il est.

On est dans un « temps éventuel », dans des formes de parole qui *pourraient* être ceci ou *pourraient* être cela, selon les circonstances, car rien n'est jamais comme on le croit, mais comme il *serait* si on y était sensible pour vrai, plus réceptif que réfractaire, à l'instar de la voix que l'air où elle vibre métamorphose de fond en comble, lui donnant toutes les formes du monde et de l'histoire, de ce qui apparaît, de ce qui arrive, de manière éventuelle, toujours, conditionnelle, sous l'angle de l'indéfiniment possible, qui est aussi l'infiniment poétique : ce qui se fait, se produit, se crée, dont on reste éternellement surpris, perpétuellement étonné.

Son poème : toutes les possibilités de la langue pour dire les mille et une éventualités du monde, où la parole ne détecte pas tant des vérités que des virtualités de toutes sortes, des potentialités, des forces et des puissances qui ne sont pas toutes actualisées, certaines restant à jamais fictives, que le poème ou le récit active et réalise à sa manière, insérant sa propre histoire dans l'Histoire même.

Il est dans l'Histoire, son statut d'homme d'action l'aura prouvé, mêlé qu'il a été aux luttes sociales et politiques les plus vives, mais l'Histoire est en lui, aussi, dans sa voix et dans sa parole, où l'on entend l'homme de passion, capable des enthousiasmes et des colères poétiques les plus grandes, des « fureurs héroïques » qui font l'histoire à leur façon, disant haut et fort son « éventualité », sa possibilité encore, le fait indubitable qu'elle n'est jamais finie, quoi qu'on en dise, pas plus que le poème ne peut finir, malgré notre finitude à nous, trop faibles pour le suivre jusqu'au bout.

Accorder nos voix, les accorder à celle d'un poète qui sait donner le *la*, et dans la bonne clé, pour que la parole sonne juste et vraie : pour que la parole résonne, porte en elle tous ses échos. Polygraphie de la vie, où toutes les voix réunies racontent à l'unisson l'histoire nombreuse d'un Homme qui ne se prend jamais pour lui, mais pour tous les autres dont il écrit en chaque phrase et en chaque vers l'interminable biographie. Nous sommes tous des personnages en quête d'auteurs… qui leur donnent une voix, une voix au chapitre de leur histoire. Nous sommes plusieurs à avoir trouvé en la personne de Michel van Schendel l'un de ces auteurs qui prête sans calculer sa voix et sa pensée, auxquelles nous joignons les nôtres en signe de reconnaissance pour l'existence qu'elles nous ont donnée.

Mort d'œuvre

> C'est dans ce reste que réside la beauté car là est le vrai Langage – ce qui n'a encore jamais été dit, ce qui voudrait venir mais en est empêché au moment précis où il faudrait pourtant que ça vienne.
>
> Victor-Lévy BEAULIEU,
> *Le carnet de l'écrivain Faust*

Les baleines échouent, les livres aussi. Ça fait des vagues et des remous. Une échouerie de mots, d'images, de voix, gisant épars sur les rives de l'œuvre, ce fleuve de souffles qui en charrie les lourds débris dès que les grandes marées les y ramènent avec leur brusquerie. C'est sans raison que les baleines, la nuit, râpent les grèves avec leur ventre ouvert. C'est sans raison aussi que l'œuvre se frotte à ses déserts, ses larges plages blanchies aux vents, remplies de cailloux aussi stériles qu'un ventre éviscéré, au dedans mou, glacé. Ça fait vingt ans qu'une œuvre est morte, presque enterrée. Ça se fête, cette grande mort d'œuvre. Autant que l'anniversaire de naissance de son auteur, né pour ça, peut-être, et en vivant : voir mourir l'œuvre et en témoigner par l'œuvre elle-même, journal intime d'une vie empêchée, empêtrée là, dans le jour le jour de l'œuvre à faire qui dès la nuit se défait, avec ses rêves et ce qui en reste, tout en morceaux que nul ne peut rassembler, pas même le romancier, ni même le nécromancien.

Les Voyageries, c'est là que ça s'est tué. Abel Lévy – Victor Job J., Herman Beauchemin, Beaulieu-Jobin, Ishmael Qui ? – n'en est jamais revenu, de ce voyage sans fin. Sans but. On n'en revient pas non plus, échoué qu'on est sur ce rocher mouvant, tout en flux et en reflux, ce glacier mou, flottant, énorme masse de spermaceti mort qui bouge encore sur l'océan : du sens fuyant, jailli des mots et des silences qu'on laisse dans son sillage, à la dérive du temps.

Ce voyagement : un imparable dépaysement. Un dérangement. On défriche la terre trop fort et ça donne la mer, à l'infini, ce grand trou clair où tout s'enfonce dans son néant. Séant de l'être tombé par terre rien qu'en étant. La terre entière : un glacier noir que les feux du ciel, la foudre et les éclairs, ont surchauffé, puis pénétré de leur lumière – cette raison d'être, à eux, qui est notre raison à nous de ne pas être parce qu'on ne voit pas plus loin que soi-même, les yeux collés sur sa misère, lampe-tempête que le vent éteint.

J'entre dans l'œuvre de VLB par ce grand trou noir qu'y fait et y refait l'œuvre manquante, l'œuvre manquée : l'œil borgne, énucléé. C'est par là que j'y *vois*, par là qu'elle me regarde. Grand trou d'air que la baleine laisse derrière elle quand elle fend l'eau. Grand trou d'eau que son bond creuse dans l'océan d'où elle s'élance à l'assaut d'air, de vent, où respirer un peu de liberté. Grand trou de terre que son corps laisse après l'échouage sur les plages blanches d'où on l'enlève pour l'inhumer dans nos charniers, nos muséums, les entrepôts frigorifiques de la mémoire humaine qui sentent toujours le renfermé.

*

Toute œuvre a son point de fuite : « le point fœtal de la création se déplaçant sans cesse, fuite du temps et dans le temps », écrit VLB, le point focal des fins dernières et des premiers commencements. *La grande tribu* incarne ce point dans l'œuvre d'Abel Beauchemin. Point-source, point d'orgue. Le désincarne, en fait : une carnation du vide, du rien. Un acharnement et un décharnement. On ne va jamais que là même d'où l'on vient : en se rétrécissant. Ça agrandit le vide autour de soi, où l'œuvre se précipite.

Ce qui m'attire dans cette œuvre tourbillonnante, c'est ce trou noir autour duquel elle n'arrête pas de tourner, frappée de vertige et y tombant. Le trou foré puis élargi, dont elle devient l'aura puis le noyau, étoile solitaire d'un univers vidé, épuisé, tari de tout. Un trou qu'on creuse dans le sable pour y transvider la mer entière, qui le remplit de son inanité, qu'on fouille à deux mains, qu'on gratte et racle, plaie de plage, plaie de lit du monde qui n'existe plus qu'infiniment couché, paralysé, allongé sur son néant, maladie de l'être qui frappe de dos l'Espace, de front le Temps, et l'âme humaine par le dedans.

Mais n'allons pas trop vite. Le monde n'est pas atteint, encore. L'homme seul a le haut-mal, le mal de la naissance. Dont les séquelles mènent à la mort, mais par la vie vécue jusqu'à son marc, jusqu'à la lie. Dépôt de l'âme, qui tache le corps, le bas de l'être : le cœur en miettes.

Cendres, mauvais grain, ivraie, sueur et sang séchés dans le fond des membres. Bran de vie. Bribes de rien. Dont l'écrivain sait faire, sans faire exprès, la matière noble de ce qu'il écrit. Déposée là au fond des livres. Où ça repose, en paix. Jusqu'à ce qu'on vienne, lecteur, critique, et l'y agite. Troublant le fond de vérité qui remonte à la lecture jusqu'au brou de mots et de non-mots qui débordent les phrases et les non-phrases, que l'œuvre elle-même ne contient plus, laissant leur crue noyer nos vies, ce trop de passé, ce peu d'avenir.

Ce vide est la faillite du temps, et de la langue, qui n'arrivent plus – mais depuis quand ? – à assumer les frais du monde, toujours trop grands. On se paye de mots, qui ne valent pas l'ombre d'un silence. Ce vide, c'est le trou que creuse dans le compte d'une vie, et son décompte sans fin, la dette que l'on contracte dès la naissance et dont chaque jour que Dieu fait augmente en nous la somme. Et les intérêts.

*

On se doit à ce qu'on est, à ce qu'on fait : aux siens, aux autres, aux proches et aux lointains, aux liens de droit et de fait qui nous y attachent comme au créancier son débiteur. On est l'obligé de soi : rien ne nous comble, tant le passif de notre histoire creuse un gouffre sans fond ni fin dans nos acquis. Débiteur à vie, on ne débite que des âneries : récits, théâtres, poésies. Tout le sans-fond du monde. Tout le sans-fin de la vie.

On se décharge illusoirement du poids sur soi de cet énorme manque à gagner. On débite du bois, littéralement, des carcasses d'arbres, de bêtes, d'hommes morts, pour mesurer la force de ses deux bras, de sa tête et de son cœur, qui en ont trop vu, déjà, et ne se soulèvent que face à ça : des morceaux de vies tombant de haut sur des monceaux de vies tombées plus bas. On dirait que le monde se soulage. Ça nous soulage aussi. Ces histoires qu'on se raconte pour ne pas avoir à payer de sa propre chair ou de son sang, qui ne valent rien, souillés par le temps, contaminés par ce qui arrive, tombé du ciel sur notre enfer glacé.

Ce qu'on laisse derrière ? des copeaux de soi. De la menue monnaie. *Spare change*, disent les Anglais. Avec quoi l'on pense naïvement que l'on rembourse intégrale- ment – mais qui ? mais quoi ? on ne le saura jamais. On lit et on écrit pour le savoir. Les créanciers s'engouffrent dans le trou que creuse dans leur existence la chose sans nom que l'homme leur doit. En quête, dans ce qu'il lit ou bien écrit, du nom et du visage vidés de ceux et celles à qui il se doit tout entier et se donne sans compter.

L'écriture ? le grand tribut. Qu'on doit à qui, à quoi ? Qu'on doit à soi, aux autres, au monde entier. Au fait de vivre et de mourir. On ne redonne jamais ce qu'on en reçoit : on ne remet rien, on ne se remet pas. On ne se rend ni à soi ni à personne. On se paye de mots et de silences. On écrit ça : *La grande tribu*, qu'on laisse en blanc, en plan. Qu'on laisse tomber, dans son grand trou : celui qu'elle fait dans la mémoire, dans le monde lui- même où l'on s'engouffre avec elle. Je voudrais, moi aussi, ne pas écrire, et appeler ça *La grande tribu*, parce que *Moby Dick* est déjà pris, puis m'enfoncer dans le silence qui suit, après, et pour la vie, comme Achab, Quequeg,

Ismaël et Cie s'abîment dans le sillage de la grande baleine, plus blanche que l'ultime page laissée vierge dans le grand roman où la mer entière nous crache son eau et ses varechs, tout son goémon, toutes ses sargasses.

*

Il y a deux sortes d'œuvres manquées : celles qu'on rate, à jamais perdues, et celles qui *nous* ratent, passent à côté, loin de nous, et continuent au large leur existence séparée. Comme VLB, comme tous ceux-là qui se targuent d'écrire, j'ai perdu des livres, qui m'ont échappé. Même ceux que j'ai écrits, on dirait que je les ai perdus. Ils vivent leur vie à eux, désormais, leur vie au loin. Sans moi. Et sans personne. Leur seule vie d'œuvre. Maintenue en vie par le faible souffle qui les habite : leur âme perdue, qui les hante à mort. Une vie végétative, qui pousse dans les déserts arrosés d'air, de sable, de vent : une vie où ils s'enterrent, s'enferment dans leur silence, où la terre entière les tient confinés. Une belle mort d'œuvre déguisée en vie : une vie prolongée en une survie où l'on attend de disparaître, puis disparaît dans cette attente. L'interminable attente d'un sens qui ne vient jamais, que les mots des livres comme les choses de la vie ne cessent de fuir : *écrire* et *vivre* ont pour destin secret d'échapper au sens qu'on veut leur donner pour qu'ils se donnent tout entiers, alors que tout aspire en eux à se perdre dans les grandes steppes de l'Insensé.

La grande tribu de VLB raconte *in absentia* la vie tribale des mots qu'on ne peut écrire, des livres qu'on ne peut pas lire, parce que le monde où ils auraient pu naître et exister, ces cultures et ces grandes civilisations qui auraient pu leur donner vie, leur donner le jour et non la nuit, ont été décimés par la violence de leur Sens : la fureur qu'ils contiennent puis ne contiennent plus, le bruit et la fureur qui se répandent comme la peste. La grande tribu que l'écriture libère envahit le monde comme les Mongols du temps de Gengis Khān : leur barbarie fait un tel trou dans le monde que c'est un gouffre de non-sens où tout s'enfonce, y compris la horde des mots sauvages laissés à eux-mêmes sur la place publique, dans les musées et les bibliothèques, les cathédrales et les parlements, les chambres closes où s'enferment le poète et le romancier, qui leur donnent libre cours dans leurs pensées.

Écrire donne le champ libre aux Wisigoths : qu'ils emportent avec eux nos livres et nos pensées, qui ne vivront jamais mieux qu'au large de nos cités, dans les grandes steppes que les moussons balaient, comme eux soufflent sans arrêt sur les braises d'un feu de brousse qu'ils allument sur leur passage, telle une mémoire qui ne s'éteint pas : la mémoire du vide où ils nous ont laissés.

J'envie VLB de pouvoir donner un nom à ce qu'il n'a pas écrit... et n'écrira jamais. Moi j'appelle ça d'un nom d'emprunt, d'un nom commun qui s'applique à n'importe quoi. J'appelle ça poésie, puis je m'empresse de l'oublier. Ou j'appelle ça la vie, et je m'efforce de ne pas y penser. Sinon pour me faire cette réflexion : si on ne donnait de titre qu'aux livres qu'on n'écrit pas, qui ont besoin d'un nom pour s'orienter dans les limbes où on les laisse, pour s'appeler les uns les autres dans cette solitude où on les abandonne, alors que les livres écrits et publiés peuvent se fondre dans la masse des volumes qui tapissent les murs de nos bibliothèques, où ils tombent en cendres devant nos pauvres mémoires époumonées, qui n'ont plus de souffle pour les ranimer, ne serait-ce que pour évoquer leur nom, à jamais oublié.

Écrire n'est pas inscrire mais « excrire » : parler sur papier est expulser son propre souffle, qui tombe sur la page blanche dans la plus grande violence. Cette violence est telle, parfois, qu'elle souffle la page elle-même et le livre entier, comme on dit d'une ville ou d'une maison qu'elle a été soufflée par une explosion. Une bombe humaine est dans chaque poème qui menace de tout emporter : la page, le livre, le poète et son lecteur, soufflés comme de la cendre dans un feu mort, où les seules braises qui brillent sont nos deux yeux écarquillés, que la poussière recouvre. Le feu et la maison sont un même mot : *foyer*. On construit ce qu'on brûle : on consume ce qu'on bâtit. Y compris son propre livre, qu'on écrit du même souffle qui l'inspire et le fait exploser. Ce qu'on a écrit, ce sont les débris qu'aura laissés le souffle expiré de ce qu'on ne peut écrire, dont témoigne le grand cratère que creuse au cœur d'une œuvre l'absence d'un livre qu'on ne cesse de pleurer, parce qu'il n'y a pas de deuil possible d'une « chose » aussi morte et infiniment mourante, qui reste à ciel ouvert : ce grand trou d'homme qu'on ne fait que déterrer.

On ne pleure pas les morts, qui n'ont que faire de nos larmes. On pleure sa vie. On fait dans chaque livre qu'on écrit son propre deuil, qui ne s'écrit pas, lui, mais creuse dans le cœur du livre ce grand trou blanc où toutes nos peines s'engouffrent : un livre non écrit où tous les autres tombent, même s'ils sont censés le contenir comme on contient ses larmes devant chaque perte que l'on vit. C'est nous qui mourons à chaque proche qui meurt, nous éloignant avec lui de notre propre vie. Tout mourant qu'on connaît est une mort qu'on connaît avec lui : on meurt en chacun aussi violemment que chacun vit en nous et y survit.

Les livres morts survivent dans le corps de leurs survivants : leurs restes brûlent dans ceux qui restent, tel un désir qui a pour objet la source de tout désir, le manque à être, le manque de tout. Toute survivance est à ce prix : qu'on prenne sur soi la charge des morts, des silences où ils tombent dans les poèmes et les récits qu'on n'écrit pas, comme les livres prennent charge de nous, des silences où l'on tombe dans la mort et l'après-mort qu'on ne peut écrire ! Il n'y a pas d'autres survies que celle où les morts et les mortels s'épaulent mutuellement comme les hommes et les livres gardent la mémoire les uns des autres quand ils se taisent ou ne s'écrivent pas, pleurant d'une seule et même peine qui les prend au ventre et à la gorge devant le gouffre qu'ils laissent l'un dans l'autre, vallée de larmes où se recueille tout ce qui ne peut se dire ni se vivre mais se meurt en silence au fond de soi comme dans le creux des livres. Dans leur creuset. Petites tombes d'homme dans lesquelles n'entrent que des voix. Dès lors qu'elles se sont tues.

Pleuroir

Cette ressemblance aurait dû m'effrayer. J'y vis la
confirmation que je ne m'étais pas trompée et que
j'avais atteint la destination où tous les événements
de mon existence devaient me mener. Ce lieu était
mon but et, si je n'y étais parvenue, je l'aurais cherché sans relâche, jusqu'à ce que la mort m'emporte
avec les âmes perdues peuplant le néant, sans que je
sache pourquoi j'avais vu le jour. C'était donc ici, il
n'y avait pas de doute, que devait aboutir ma vie. Je
ne savais pas encore quelle était ma mission, mais je
l'apprendrais sous peu, avec le concours des voix
qui, sous le plancher, m'appelaient à elles.

Andrée A. MICHAUD, *Le ravissement*

Une maison calme dans une campagne pleine de
soleil, où les jours se répètent comme les secondes, où
les gens vivent comme s'ils n'allaient jamais mourir,
tous semblables, indifférents, des arbres dans une forêt,
des plantes dans un jardin, le même visage à chaque
matin dans le même miroir que l'on promène le long des
chemins, depuis le marchand de journaux jusqu'au verger
de son plus proche voisin, saluant au passage quelques
visages qui nous ressemblent autant que notre propre
reflet mais en plus vrai. La vie se répète, la vie radote.

Trop vieille pour se régénérer. Trop usée, trop *usagée*. Elle n'en peut plus, elle se contente de ressasser les mêmes anecdotes : naître, aimer, mourir. Autrement dit : être, durer. Ou demeurer. Elle ne se vit plus, elle se reflète dans le visage des gens. Elle *réfléchit*... ce qui en eux fuit les regards, à moins qu'on y *regarde à deux fois*, dans une double vue, une double vie, l'une masquant l'autre sans quoi elles iraient nues, vies sans abri, vies découvertes, qui prendraient froid, le froid de la mort et puis *fini*, on s'arrête là et n'y pense plus.

Mais non, *Le ravissement* ne s'arrête pas : la vie continue même quand on nous l'ôte ou la prend de force, l'enlève avec douceur, l'emporte au loin ou bien l'enferme dans une cave où on la laisse pourrir pendant des années dans des odeurs de feuilles mortes. Andrée A. Michaud n'écrit pas qu'une histoire, qui ferait le tour d'une vie une fois pour toutes, bouclant la boucle d'une existence unique, avec son début, sa fin, ses nœuds multiples et leurs dénouements, non, elle raconte tout deux fois plutôt qu'une, comme si c'était toujours *une autre fois* : une autre vie, un autre lieu, une autre personne.

Une femme apparaît, d'abord, dans un village tranquille où elle loue une jolie maison tout aussi paisible, puis une fillette disparaît, dans un orage d'été inattendu, violent, qui fait claquer les portes de la demeure et trembler de haut en bas ses fondations, la cave de terre battue, dessous, recelant sous d'étranges rumeurs, plus proches des pleurs que du chant, les restes ou la mémoire encore vive de la disparue. Puis tout se répète, dix ans plus tard : un homme apparaît, dans la même maison, une fillette disparaît, dans le même sous-sol. Le voisinage n'a pas changé : le même jeune homme à la casquette de baseball repasse tous les matins devant la villa avec son journal sous le bras, la même vieille dame désherbe son jardin, les mêmes fillettes courent en chantant à l'orée des bois. Le même décor et les mêmes corps. Un même esprit vole sur ces eaux.

*

L'esprit du mal plane sur ces corps, tous innocents. C'est ce qu'on se dit, d'abord. L'esprit a mal et il se venge : l'esprit fait mal. L'amour souffre, il fera souffrir autant. Il souffre de nous, qui ne l'aimons pas vraiment, préférant nous *ravir* les uns les autres dans la possession, à laquelle il échappe, que de nous donner à perte dans le dépouillement, qu'il appelle en vain. Mais c'est peut-être là une autre histoire, qu'Andrée A. Michaud raconte depuis son premier livre, où l'on voyait déjà l'assaut qu'aimer déclenche : en soi, sur l'autre, dans le monde. Déclenche impunément. Un crime sans châtiment, qui nous blanchit de l'avoir commis en nous faisant sa proie.

Le ravissement va bien plus loin : notre innocence s'accroît, grandit. On y apprend que c'est une tendresse immense comme l'est l'amour qui nous pousse les uns contre les autres à la recherche du crime parfait et impuni dont nous sommes suspects, à défaut d'en être coupables, coupables à vie, coupables pour vrai. Il faut que la tendresse *se paye*, quand elle va trop loin, trop creux dans les pensées, qui sont des corps, aussi, fragiles comme la vie d'une fillette dont la bicyclette repose sur le côté au bord d'une grande forêt remplie de voix sombres comme sont les caves et les greniers, de vieilles voix mortes qui nous hantent pendant des nuits et qui dans nos rêves rajeunissent d'un coup, parce que les rêves innocentent tout, dans cette enfance sans fond où ils nous font retomber.

Les Bois noirs, ce lieu d'avant l'orage, ce lieu d'après les foudres que hantent depuis toujours les voix secrètes, ce sont les limbes, en fait, où errent les âmes coupables de leur innocence foncière devant les forces du mal, ces purs esprits qui sont au-delà des maux, des torts, des fautes, dont ils ne voient jamais le signe, ni autour d'eux ni en eux-mêmes, n'étant pas marqués au front par la souillure originelle qu'incarne l'oint baptismal, qui nous bénit ou nous maudit dans les mêmes eaux troubles en nous donnant un nom dont nous devrons répondre devant les autres : Marie, Mary, Marnie, l'héroïne narratrice au nom multiple, qu'on n'arrive pas à baptiser d'un seul et même prénom et qui restera jusqu'à la fin sans patronyme, tout comme Alicia et Talia, les fillettes immolées sur les fonts d'un seul et même abîme aux odeurs de cave noire, et sans doute Harry, Mike pour les intimes, qui perd peu à peu son identité de détective pour prendre celle du meurtrier en cavale, fugitif absolu, fuyard perpétuel devant le crime de sa vie, mille fois commis et toujours à perpétrer, tous, sans exception, connaîtront au sens biblique le baptême du Mal inexplicable.

Ils tremperont dans les mêmes eaux sombres que Hank, l'homme à la casquette et à la jambe folle comme sa propre tête, Élisabeth, sa sœur, sa femme ou sa maîtresse – sa fille aussi : toutes les virtualités de l'inceste passeront à l'acte –, la dame au chien jaune, qui d'autre encore, la mère de Hank et d'Élisabeth, les quelques centaines d'âmes qui hantent les Bois noirs, les voix qu'elles font entendre du fond des caves ou des forêts, dont l'existence entière baigne à jamais dans un air d'orage qui finira par éclater comme une trop lourde vérité, souillant et lavant tout d'un seul et même geste, car l'eau douce et drue des grandes ondées qui frappent les innocents et risquent à tous moments de les emporter dans un étrange ravissement n'écrase les corps qu'elle fait tomber et s'abîmer au plus profond que pour les enlever et les ravir au monde comme à eux-mêmes, dans un emportement qui n'a pas de fin.

Marie, Mary, Marnie écrit ou se dit à elle-même : « je me sentais divisée en deux. Il y avait celle d'avant, dont les sens avaient perdu contact avec le réel, et celle d'après, qui ne savait pas ce qu'était le réel. L'ignorance de l'une et de l'autre ne tenait qu'à cette mince différence : la première avait oublié la fin de son existence et, j'ose dire, de son innocence, alors que la seconde venait droit des limbes où l'avait précipitée sa chute. Laquelle de ces deux amnésies était la plus grave ? La réponse se trouvait dans cet hiatus où ma vie s'était scindée, et je ne la trouverais que j'aie comblé le trou qui avait englouti une part de ma raison. » Combler le trou : enterrer sa propre raison, qui est bel et bien tombée au fond, dans les limbes où tout revient au *même*, l'avant comme l'après, Marie et Talia dans presque la même peau, Hank et Élisabeth dans le même sang qui coule dans leurs veines, où tout se fait indifférent, nous contraignant à faire le deuil de cette mince frontière à jamais perdue ou emportée qui sépare le bien du mal ou l'innocence insoutenable de l'insupportable culpabilité.

*

Peu importe qui est coupable : nous le sommes tous au plus profond. L'énigme restera entière parce qu'il n'y a pas de paradis sur terre et il n'y a pas d'enfer, où l'on pourrait enfermer le bien et le mal comme dans une cave ou un grenier : il y a les limbes infinis des grands boisés où des voix libres, sans attache aucune que le vent et l'air, nous appellent et nous condamnent dans les mêmes chants et les mêmes gémissements. L'émission des pleurs, voilà le sens de tout poème, qui ne dit jamais s'ils sont de joie ou de douleur : les larmes de bonheur se mêlent trop intimement aux grandes éplorations que le malheur déclenche pour qu'on puisse dire sur quoi au juste nos yeux les versent. Sur quoi s'abat l'orage : l'innocence d'une ou deux fillettes au bonnet bleu, surprises par tant de violence contenue, ou l'ombre indistincte de tous les suspects de la terre, qui ne savent jamais de quel mal retenu leur vie les accuse ou les punit.

Marie dit : « j'étais l'émissaire des pleureuses », de toutes les pleureuses, les petites et les grandes, les Talia et les Marnie, toutes retombées dans la même enfance en replongeant corps et âme dans le bain des larmes d'où elles sont nées, sous les yeux inconsolés de celle qui dit comme si elle le pleurait : « C'était donc à moi seule d'intervenir quand les signes avant-coureurs de l'orage les rendirent tous sourds, et je m'en veux encore de n'avoir su conjurer la mort, de n'avoir su être Dieu lorsque la foudre s'abattit sur les arbres pour emporter la fillette, et de n'avoir pas deviné quel dessein s'accomplissait alors, car seule une plus grande vigilance m'aurait permis d'extirper cette enfant de l'orage, comme ces anges arrachant les innocents aux périls de l'enfer et les montant aux cieux. » L'écriture ? cette vigilance, cette veille sans fin, même quand elle est tombée dans le lourd sommeil de la conscience où on essaie de tout oublier... et que tout finit par se rêver. On croit qu'on rêve, écrivant cela ou bien ceci, mais c'est bien plus : on réalise un rêve dans le rêve même, qui vaut des tonnes de réalité. Il porte le poids des fautes, il a la charge du monde. Écrire : expier, si proche d'expirer, mais comme on souffle sur des braises qu'aucune cendre ne peut étouffer.

Andrée A. Michaud écrit ses romans avec des signes avant-coureurs, qu'elle jette sur le papier pour qu'on sente et qu'on entende l'orage venir et tout ce qui vient avec, à quoi l'on reste sourd la plupart du temps, ne sachant rien conjurer de notre avenir, parce que jamais assez vigilants devant ces voix qui hantent nos Bois noirs et nos caves les plus obscures. Émettre des signes – des larmes, des rires, des chants, des plaintes, des cris de toutes sortes, dans l'amour comme dans la haine, dans le plaisir et dans la peine, le désir et la peur ou leur mélange intime, inextricable comme l'énigme que demeure tout crime devant le corps sans nom de ses victimes –, voilà le sens d'écrire, qu'Andrée A. Michaud possède au bout de ses doigts comme au bout de sa voix, pleureuse discrète qui nous console un bref moment, nous extirpant de nos orages, nous arrachant comme des innocents des enfers où l'on s'est plongés, nous enlevant dans l'air d'où l'on s'est laissé tomber. La main de l'ange ne nous prend plus par le collet, dans la violence du rapt et du miracle : la main de l'ange écrit, nous emportant dans la douceur du ravissement dont on ne revient jamais.

Ressaut

J'écris parce que je n'ai pas de mémoire. J'ai si peu de souvenirs de ma vie courante que je dois sans cesse en inventer pour que mon histoire ne perde pas trop de sa continuité. Pour que je puisse m'y appuyer lorsque je tombe à tous les cent pas dans un oubli de moi-même où je ne suis plus sûr de vraiment exister. J'oublie vite. Plus vite que j'enregistre ce qui m'arrive. Pour quelle oreille ? qui reste sourde à ce qui fut. À l'affût seulement de ce qui survient et la surprend. La mémoire ? le pavillon grand ouvert telle une antenne parabolique pour capter les ondes passagères d'une histoire qui reste encore à faire, la conque écarquillée qui attend en vain les fracas de la mer contre les récifs, le labyrinthe déployé où l'avenir pénètre et se perd en souvenirs fugitifs dont le fil se rompt aussi promptement que le fil du temps.

Mon propre passé me dépasse, comme mon ombre me dépasse de deux ou trois têtes et de deux ou trois pas quand le soir l'étire et la projette loin devant moi, sur les trottoirs où je ne sais plus où je vais ni d'où je viens. J'emprunte une mémoire plus longue que la mienne pour le savoir, plus puissante que cette espèce de faculté affaiblie à quoi elle correspond dans mon esprit, moins insensée que ce vieil album de photos jaunies et racornies où je ne reconnais presque plus rien, oublieux de tout, de moi ? de qui ? de quoi ? de vous ?

Je dois passer par la mémoire des autres pour m'y retrouver. Par la mémoire de l'espèce : la mémoire animale de l'homme qui hurle, glapit, miaule et aboie depuis le fond d'une langue qu'il n'arrive pas à articuler, incapable de se souvenir du sens que ses cris portent. Je m'en remets à la mémoire humaine tout entière : celle qui couvre et recouvre notre origine la plus lointaine, notre passé indépassable, le cri de l'atome que le premier mot dissèque quand il sépare les eaux de la mémoire des eaux de l'oubli. Il y eut un soir, il y eut un matin. Il y eut une mémoire, que j'appelle la nuit. Il y eut un oubli, que j'appelle le jour. Je ne sais les noms qu'à l'envers du sens qu'on leur a donné comme un coup au cœur dont tout le monde souffre.

Le nom qu'on donne aux choses les blessent. Comme le fer rouge dont on marque les bêtes les égorge et les saigne avant même qu'on les emmène à l'abattoir : ça ne s'oublie pas, ce nom qu'on crie, cette chose qui entre dans la mémoire par les hurlements, ce S.O.S. qu'elle lance dès qu'on lui colle un nom, qui lui fend l'âme par le milieu, lui donne un sens qu'elle reçoit au cœur dans des souffrances sans fin.

*

La langue est l'organe de cette mémoire : ses yeux et ses oreilles, son cœur et ses poumons. Sa rate. Depuis que l'hominien est sorti debout et la tête haute, le souffle libre et à l'air libre, sorti tout armé de sons et de silences qui ont jailli de sa bouche, sorti tout habillé de sa nudité honteuse des grottes ou des cavernes les plus creuses et les plus obscures où il se terrait, la langue humaine est devenue la chambre à échos ou la caisse de résonance du Monde, le lieu de réverbération où tout renvoie à quelque chose d'*autre*, sans qu'on sache bien à quoi au juste on est renvoyé : à Dieu ? à l'infini ?

Pour que la langue joue bien son rôle d'organe de la mémoire, il faut qu'elle sonne, résonne, *assone*. Je n'ai pas dit *assomme* : ce n'est pas d'une violence brute qu'il s'agit, même si la langue est une force, une énergie. Il y a un mot latin pour dire la force pure, c'est le mot *virtus*, devenu *vertu* dans notre langue, mais aussi *virtuel* : la violence possible du langage, la puissance vertueuse de la parole, voilà ce dont il s'agit. La violence en puissance, avant qu'elle ne passe à l'acte, sur le point de devenir action, quand elle est pure passion encore mais passion à bout, pure contemplation au bord de basculer dans son contraire : l'affût, l'aguet, quand le regard exorbité s'apprête à bondir sur sa proie et à la déchirer. Voilà la véritable « force » : le cœur et le courage, qu'appelle le mot *virtus*. Le cœur à l'ouvrage, qui bat et pulse au rythme du temps qui presse et qui oppresse. Le cœur qui pompe le sang des choses et nous l'injecte dans la conscience par le regard, notre seul vrai pouls. Le cœur qui nous fait être et nous fait vivre, non par la force des choses, des évidences et des truismes, de ce qui est déjà donné, du sens commun et des idées reçues, mais par la force des mots et des paroles qui leur arrachent leur vérité la mieux cachée, rien qu'en les effleurant, en les touchant à peine, d'un souffle d'air.

La langue ne force pas les choses à être là, devant nous, dans leur présence pour vrai, en direct dans l'histoire. Elle fait être le monde par résonances, par assonances, par ricochets. Depuis cette longue absence où il se tient, loin de nous, dans un néant ou un non-sens de chaque instant d'où on le tire par quelques mots grâce auxquels les choses arrivent une à une mais de travers, de biais, dans des rebonds et des ressauts qu'on appelle mémoire. Le poème : la vie à relais, de reports en reports, la vie entière par ricochets. Le monde qui vient au monde par le détour des mots. Par ce crochet : la langue qui se souvient quand on oublie jusqu'à son nom, de sorte qu'à tout moment l'inconnu survient mais du passé, de l'origine du monde, quand il n'était que pure vertu, puissance sans fin, force sans fond, inexistence qui hurle et qui glapit.

*

La balle qu'on lance en écrivant fait des rebonds : le monde est la suite de ces rebondissements. Dans tous les sens ou en aucun. Sur les murs, sur les planchers, sur les plafonds de la mémoire et de la parole qui se relaient l'une l'autre dans la chambre à échos où elles nous séquestrent avec nos souvenirs et nos vieux mots. Le poème ? cette force indirecte qui agit sur le monde par le levier de la mémoire grâce auquel le poète soulève le poids de l'histoire et pèse le sens de notre existence. Leur gravité, leur vanité : calme bloc ici-bas chu d'un désastre obscur, buée, buée, *havel*, *havel*, fumée, tout est fumée, viduité des viduités.

Je ne vise jamais la vérité : je la regarde de biais. Ou de travers. Je ne l'atteins que par ricochet : avec un projectile qui rebondit dans la mémoire avant de toucher sa cible ou son objet. Qui est toujours du temps, gros de durée, lourd de passé, loin d'ici, loin du présent. Il est sans cesse ailleurs : autre part, autrefois. On ne le touche au cœur qu'en le visant dans le dos.

On arrive toujours derrière quelqu'un ou après lui : on ne le touche vraiment qu'en le surprenant, lui effleurant l'épaule du bout des doigts pour qu'il se retourne d'un coup et nous révèle son vrai visage, dans toute sa nudité. On ne prend rien ni personne que par surprise : on lui fait faire un saut, qui le jette dans nos bras comme s'il sautait dans le vide.

Le poème comme la mémoire prend les choses par-derrière : il les envisage à l'envers, dans leur être renversé, leur verso retourné, dans ce qu'elles cachent sous leur passé, qui n'est jamais qu'une présence dissimulée, une vie venue d'en dessous et qui ne cesse d'y retourner car elle n'aime qu'une chose : l'oubli, l'oubli. L'oubli définitif, où tout repose en paix, de nouveau quiet, tranquille. Une image d'avant le regard, un mot d'avant la voix, un monde d'avant la vie : le temps dans sa propre nuit, le poème d'avant toute mémoire, dont il garde comme une prémonition l'ultime souvenir à peine exhumé, qui est qu'on meurt dès le premier instant dont le second retarde la venue. Ce retard ou cet atermoiement, on appelle ça la vie. D'autres disent : récits, poésies, cris et glapissements. Qu'importe. Moi j'appelle ça les décalages horaires de la parole qui ne franchit plus que les fuseaux millénaires du temps perdu… à la vitesse du son qu'elle produit… à défaut du moindre sens qui la détruirait.

*

Les seules enquêtes qui m'intéressent sont celles qui prennent pour objet la mémoire elle-même et pour moyen d'investigation l'oubli, l'oubli dans lequel chacun se protège de cette hypermnésie humaine qui nous rappelle à chaque instant nos fautes et nos lacunes, qui nous ramène à la conscience le fait qu'on est sans aucun doute l'espèce animale la plus oublieuse du monde, l'espèce sans cœur et sans courage qui oublie tout, le monde et son contraire, dont elle s'empresse de vivre le deuil en pansant les plaies que laissent en elle les délaissements, les abandons.

La mémoire et le poème sont des façons de combler l'absence avec plus d'absence encore, pour qu'on la sente plus fort, qu'elle apparaisse vraiment sous tous les masques dont on l'affuble, dans toutes les fables dont on la masque, qui sont des genèses à l'envers, des mythes d'origine réinventés : *que la ténèbre soit, d'où tout pourra recommencer !* Non pas dans la lumière du jour, trop crue pour notre vue, peu habituée aux vérités, mais dans la lueur des yeux fermés où percent seulement quelques rayons : l'aura des mots qui fait une ombre claire aux choses qui gardent le silence tel un secret que seul un souffle à bout pourrait éventer.

Écrire prolonge les choses jusqu'en leur absence, les pousse au-delà d'elles-mêmes… jusqu'où elles n'existent plus. Non parce qu'elles deviennent des mots, qui les

150

présentent à la conscience, mais parce qu'elles se changent en objets de mémoire ou en objets de désir, autant dire en spectres et en fantômes, revenants et survenants d'un monde anéanti qu'ils creusent dans le passé comme dans l'avenir le plus lointain, où ils partagent la même inexistence foncière, le même foyer partout décentré.

Dieu, chassant l'homme du paradis, lui a enlevé toute mémoire de son bonheur, tout souvenir de cela qui dans l'Éden l'aura rendu heureux pour un temps qui n'existe plus, mais il lui a laissé la nostalgie, la vague réminiscence que ce bonheur aura été, même s'il n'en a aucune idée, même si son contenu s'est à jamais perdu et oublié, avec la mémoire de ce qu'il fut, aurait pu être pour l'éternité. L'Histoire est une mélancolie : broyer du noir devant sa fenêtre, où toute la lumière du monde ne peut entrer. On reste dans l'ombre. Enfoncé dans cette vie intérieure qu'on passe à regarder le fond du temps : ce grand ciel noir ou bleuissant dans lequel le regard se perd avec la mémoire, tous deux envolés.

Toujours la même histoire : celle du pauvre type qui veut savoir ce qu'est sa vie et la récrit, récrit, récrit pour voir d'où elle vient et où elle va, si elle a un sens encore, cette chose étrange où il est pris, pris à la gorge, on dirait, dont seul crier dans un raclement de tous les organes de la parole peut le déprendre, comme on décroche l'hameçon de la gueule en sang du Léviathan qu'on a traîné sur plusieurs nœuds pour le noyer.

Notre âme a une ombre, aussi, plus sombre que celle du corps, plus étendue : une ombre portée sur la pensée, sur la mémoire, sur le langage tout entier, qui nous éclaire depuis cette nuit qui tombe à chaque instant plus lourdement sur le passé. Pas étonnant que ce qu'on dit, écrit, lit à voix basse et la vue basse, le geste las, soit si obscur, si obscurci, et assombri comme le ciel avant l'orage, avant que ça tombe, plus dru et plus serré, sur notre tête et sur la terre, bien avant les éclaircies.

*

Le poème? un maléfice. On l'a jeté sur le papier comme on jette un sort. Non au lecteur, mais au Malheur, au malheur en personne : cette personne morale, comme on dit, immorale s'il en fut. *Persona non grata*, le malheur humain, partout où on ne l'attend pas et le désire encore moins, sinon secrètement. Magie blanche, magie noire, fondues dans cette grisaille où l'on ne distingue ni bien ni mal, gyrophare d'ombre et de lumière dans la centrifugeuse de l'être où tout tourne si vite que le bonheur tourne au malheur comme la chair tourne en poussière. Écrire : griser le mal, soûler le temps. Endormir la misère, dans un réveil de la conscience ivre d'elle-même, qui ne se reconnaît que dans ses rêves. On devrait inscrire sur la page de garde de tous les livres de poésie : WARNING. Attention : danger. Chaque phrase est un avertissement : l'insensé arrive et la nuit tombe. Préparez-vous à recevoir le Temps, qui n'entre en vous que par le passé, son côté sombre, où la mémoire vous bouche l'avenir avec des remords plus lourds que les malheurs qu'elle vous rappelle à coups de rimes répétées.

Le poème n'oppose jamais le rêve au réel, au cauchemar, à l'insomnie : il naît de leurs rencontres. Il y retourne, en fait, pour y mourir. Au lit des mauvais rêves, dans la

152

chambre des nuits blanches et puis dehors, dans le froid coupant des réalités les plus crues. La poésie rêve, mais comme tout le monde : de peurs, d'angoisses. Autant que des désirs les plus fous. Les restes diurnes qui s'y amoncellent ne sont pas tant les reliefs de la veille que les déchets d'une vie complète, qui ne sécrète pas seulement la joie, du lait, du miel : du fiel aussi, la bile des haines, la gourme des peines, le malheur des autres et le sien propre, dans le même tas, que l'on balaie sous le tapis du lourd sommeil où l'on tombe avec la nuit, dans le même oubli.

Où est le lieu de naissance ? à l'horizon, toujours. L'origine est une orée : un orient à son couchant. Le commencement est aux confins, où il disparaît pour qu'on le cherche jusqu'à la fin. On n'est jamais né mais en train de naître, s'accouchant dans des douleurs sans nom qu'on oublie vite, dès qu'apparaissent de nouvelles contractions, plus fortes, plus rapprochées. Voilà comment les choses se font : on se laisse mourir puis on se redonne naissance aussi brusquement qu'on nous l'a donnée la première fois. On voit le jour comme on voit la nuit, en fermant les yeux sur ce qui a été pour qu'apparaisse ce qui devient, ce qui revient : noir sur noir, nocturne comme sont les rêves, les pensées de nuit.

Le poème : le système de poids et de mesures des choses soudain envolées. Le jeu subtil des vides et des pleins, qui communiquent par leur mélange, leur tri. Quand il s'agit de mesurer l'impondérable, de peser la démesure. De reprendre à zéro le film des événements, le sous-titrant avec des cris. Ou des silences pesants. Un cinéma vivant mais sans images sur lesquelles on pourrait s'arrêter, qu'on pourrait geler : des prises de vue et des prises de son à même le flux de ses pensées les plus confuses, mal cadrées, hors foyer. Des prises de sang. Vingt-quatre images à la seconde, que l'instant suivant va effacer dans le temps fuyant auquel notre regard emprunte son propre élan : poème de la vue jeté dans tous les sens sur des écrans de papier que le vent emporte comme le passé, le sable et la poussière, l'air même que l'on respire.

Le poème corsète le souffle, étrangle la voix. Voilà d'où vient sa violence contenue : le contenu de cette violence qu'il garde en réserve tel un secret, dans le réservoir à fond perdu de sa mémoire verbale, où l'on entend l'écho seulement, jamais le sens ni la raison, de phrases qui n'en finissent pas, de mots qui nous reviennent comme autant de régurgitations du temps perdu, qui pèsent dans notre bouche tel un morceau de pain qu'on ne peut avaler. Ne reste qu'à ruminer, ne reste qu'à se taire ou bien écrire. Ne reste qu'à éructer.

Il faut pouvoir penser dans sa langue : rentrer dedans, penser vraiment. Comme on rentre en soi-même pour sentir que l'on vit : dans le bruit de son sang, dans la fureur de son pouls. Les mots sont les pulsations de la pensée vivante, mortelle, soumise comme chaque chose ici-bas à ce système de ponctuation universel qui nous commande de mettre un point à ça : un point final, un dernier puis un autre et un autre encore, en cataracte ou en rafale.

TABLE

Poésie

Sommes, Montréal, L'Hexagone, coll. «Poésie», 1989.

L'Omis, Seyssel (France), Champ Vallon, coll. «Recueil», 1989.

Théâtre d'air suivi de *L'avéré*, Montréal, VLB Éditeur, 1989.

Rehauts suivi de *Voire*, œuvres de Daniel Barichasse, Calaceite (Espagne), Noésis, coll. «Parvula», 1992.

Fonds suivi de *Faix*, Montréal, L'Hexagone, coll. «Poésie», 1992.

Vita chiara, villa oscura, dessins de Robert Wolfe, Montréal, Éditions du Noroît, 1994.

Le corps *pain, l'*âme *vin*, dessins de Christine Palmiéri, Montréal, Éditions du Noroît, 1995.

Consolations, Montréal, Éditions du Noroît, 1996.

dieu sait quoi, Montréal, Éditions du Noroît, 1998.

L'un l'autre, dessins de Christine Palmiéri, Saint-Benoît-du-Sault (France), Éditions Tarabuste, 1999.

Portrait d'un regard. Devant la fin (avec Bernard Noël), Montréal, Éditions Trait d'union, coll. «Vis-à-vis», 2000.

L'avancée seul dans l'insensé, œuvres de Marc Séguin, Montréal, Éditions du Noroît, 2001.

Récits et romans

L'attrait, récits, Québec, L'instant même, 1994.

L'attachement, roman, Québec, L'instant même, 1995.

Légende dorée, Québec, L'instant même, 1997.

Still. Tirs groupés, œuvres de Michel Bricault, Québec, L'instant même, 2000.

Essais

Chutes, la littérature et ses fins, Montréal, L'Hexagone, coll. «Essais littéraires», 1990.

Voir et savoir. La perception des univers du discours, Montréal, Balzac, coll. «L'univers des discours», 1992.

Ombres convives. L'art, la poésie, leur drame, leur comédie, Montréal, Éditions du Noroît, coll. «Chemins de traverse», 1997.

Poétique du regard. Littérature, perception, identité, Québec/Limoges, Le Septentrion/PULIM, 2000.

Le vie de mémoire. Carnets, chutes, rappels, Montréal, Éditions du Noroît, coll. «Chemins de traverse», 2002.

Asiles. Langues d'accueil, Montréal, Fides, coll. «Métissage», 2002.

L'esprit migrateur. Essai sur le non-sens commun, Montréal, Trait d'union, coll. «Le soi et l'autre», 2003.

Le sens de l'autre. Éthique et esthétique, Montréal, Liber, 2003.

Ouvrages collectifs

Action, passion, cognition, Québec/Limoges, Nuit blanche/PULIM, 1997.

Le trop et le trop peu. Une esthétique des extrêmes, avec S. Pepin, Montréal, Cahiers du CELAT, UQAM, 2000.

Poésie et politique. Mélanges offerts en hommage à Michel van Schendel, avec P. Chamberland, M. La Chance et G. Leroux, Montréal, L'Hexagone, 2000.

Identités narratives. Mémoire et perception, avec S. Harel, J. Lupien et A. Nouss, Québec, PUL, coll. «Interculture», 2002.

Communautés de sens. Singularité littéraire et sens commun, avec F. Boutin et D. Laforest, Montréal, Cahiers du CELAT, UQAM, 2002.

Politique de la parole. Singularité et communauté, Montréal, Trait d'union, coll. «Le soi et l'autre», 2002.

Le soi et l'autre. L'énonciation de l'identité dans les contextes interculturels, Québec, PUL, coll. «Interculture», 2003.

Le premier venu a été composé en caractères Times corps 11
et achevé d'imprimer par AGMV Marquis inc.
le troisième jour du mois de septembre de l'an deux mille trois
pour le compte des Éditions du Noroît,
sous la direction littéraire de Paul Bélanger.